Der Ring des Nibelungen

✦ Ein Bühnenfestspiel für drei Tage und einen Vorabend

Im Vertrauen auf den deutschen Geist entworfen und zum Ruhme seines erhabenen Wohlthäters des Königs Ludwig ii. von Bayern

vollendet von

Richard Wagner 1813–1883

Vorabend: Das Rheingold

Erster Tag: Die Walküre

Zweiter Tag: Siegfried

Dritter Tag: Götterdämmerung

The Valkyrie

ENGLISH TRANSLATION BY

FREDERICK JAMESON

∴

COMPLETE VOCAL SCORE

IN A FACILITATED ARRANGEMENT

BY

KARL KLINDWORTH *1830–1916*

NEW YORK : G. SCHIRMER

Die Walküre

∴

PERSONEN
DER HANDLUNG IN DREI AUFZÜGEN

SIEGMUND	*Tenor*
HUNDING	*Bass*
WOTAN	*Hoher Bass*
SIEGLINDE	*Sopran*
BRÜNNHILDE	*Sopran*
FRICKA	*Sopran*

GERHILDE, ORTLINDE, WALTRAUTE, SCHWERTLEITE, HELMWIGE, SIEGRUNE, GRIMGERDE, ROSS-
WEISSE: WALKÜREN, *Sopran und Alt*

SCHAUPLÄTZE DER HANDLUNG

I. AUFZUG: *Das Innere der Wohnung Hundings*

II. AUFZUG: *Wildes Felsengebirg*

III. AUFZUG: *Auf dem Gipfel eines Felsenberges („des Brünnhildensteines")*

VERZEICHNISS DER SCENEN

13420

The Valkyrie

CHARACTERS
OF THE DRAMA IN THREE ACTS

SIEGMUND	*Tenor*
HUNDING	*Bass*
WOTAN	*Baritone*
SIEGLINDE	*Soprano*
BRÜNNHILDE	*Soprano*
FRICKA	*Soprano*

THE VALKYRIES GERHILDE, ORTLINDE, WALTRAUTE, SCHWERTLEITE, HELMWIGE, SIEGRUNE, GRIMGERDE, ROSSWEISSE: *Soprano and Alto*

SCENES OF THE ACTION

FIRST ACT: *The interior of Hunding's dwelling*

SECOND ACT: *A wild, rocky place*

THIRD ACT: *On the top of a rocky mountain* (Brünnhilde's Rock)

LIST OF SCENES

Die Walküre

von

RICHARD WAGNER.

Erster Aufzug.

Vorspiel und erste Scene.

The Valkyrie

by

First Act.

Prelude and first scene.

Der Vorhang geht auf. — (Das Innere eines Wohnraumes; um einen starken Eschenstamm, als Mittelpunkt, gezimmerter Saal.
The curtain rises. —(The inside of a dwelling-place; an apartment built of wood surrounds the stem of a great ash-tree standing in
the centre.

Rechts im Vordergrunde der Herd; dahinter der Speicher; im Hintergrunde die grosse Eingangsthüre:
links in der Tiefe führen Stufen zu einem inneren Gemache; daselbst im Vordergrunde ein Tisch, mit
breiter Bank an die Wand gezimmert, dahinter, hölzerne Schemel davor.)
On the right, in the foreground, is the hearth, behind it the store-room; at back, the great entrance
door; on the left, at back, steps lead up to an inner room; lower down, on the same side, a table with (Die Bühne bleibt eine Zeit
a broad bench behind it, fixed to the wall; some wooden stools in front of it.) *The stage remains while*

lang leer; aussen Sturm, im Begriffe sich gänzlich zu legen.)
empty; storm without, just subsiding.)   (Siegmund öffnet von aus-
(Siegmund opens the en-

sen die Eingangsthüre, und tritt ein. Er hält den Riegel noch in der Hand, und überblickt den Wohnraum; er scheint von übermässiger
trance door from without and enters. He holds the latch in his hand and looks round the room: he appears exhausted with

Anstrengung erschöpft; sein Gewand und Aussehen zeigen, dass er sich auf der Flucht befinde. Da er Niemand gewahrt, schliesst er hinter sich,
over-exertion: his dress and appearance show that he is in flight. Seeing no one, he closes the door behind him, walks, as with the

schreitet mit der äussersten Anstrengung eines Todmüden auf den Herd zu, und wirft sich dort auf eine Decke von Bärenfell nieder.)
last efforts of an exhausted man, to the hearth, and there throws himself down on a rug of bearskin.)

Etwas zurückhaltend.

SIEGMUND.

Wess' Herd diess auch sei,
Who - e'er own this hearth,

(Er sinkt zurück, und bleibt regungslos ausgestreckt.)
(He sinks back and remains stretched out motionless.)

hier muss ich ra - sten.
here must I rest me. **Erstes Zeitmass.**

(Sieglinde tritt aus der Thüre des inneren Gemaches: Sie glaubte ihren
Mann heimgekehrt; ihre ernste Miene zeigt sich dann verwundert, als
sie einen Fremden am Herde ausgestreckt sieht.)
*(Sieglinde enters from the inner chamber, thinking that her husband
has returned. Her grave look shows surprise when she finds   a
stranger stretched on the hearth.)*

SIEGLINDE (Noch im Hintergrunde.) (Sie tritt näher.)
(*Still at the back.*) (*She comes nearer.*)

Ein fremder Mann? ihn muss ich fragen.
A stranger here? why came he hither?

Wer kam in's Haus, und liegt dort am
What man is this who lies on the

Mässig.

Langsam.

(Da Siegmund sich nicht regt, tritt sie noch
etwas näher und betrachtet ihn.)
(*As Siegmund does not move, she comes
still nearer and looks at him.*)

Herd?
hearth?

Mü - de liegt er von We-ges Müh'n.
Worn and way - weary lies he there.

Etwas langsamer.

(Sie neigt sich zu ihm herab und lauscht.)
(*She bends over him and listens.*)

Schwanden die Sin-ne ihm? wä-re er siech?
Is it but weariness? or is he sick?

Etwas belebt.

Noch schwillt ihm der Athem; das Au-ge nur schloss er.
I hear still his breathing, 'tis sleep that hath seized him.

Muthig dünkt mich der Mann, sank er müd' an ch
Valiant is he me-seems, though so worn he

ruhig.

26590

(Siegmund trinkt, und reicht ihr das Horn zurück. Als er ihr mit dem Haupte Dank zuwinkt, haftet sein Blick mit steigender Theil_
(Siegmund drinks and gives the horn back. As he signs his thanks with his head, his eyes fix themselves on her with

nahme an ihren Mienen.)
growing interest.)

SIEGM.

Langsam.

Küh-len-de La-bung gab mir der Quell, des
Cooling re-lief the wa-ter has wrought, my

sehr weich.

Mü-den Last machte er leicht: er-frischt ist der Muth, das Aug'er-freut_ des Sehens se-li-ge
weary load now is made light: re-freshed is my heart, mine eyes are glad-dened by blissful raptures of

SIEGM.

fü - gen des Lei-bes Glieder sich fest. Hätten halb so stark wie mein Arm Schild und Speer mir ge-
whole are my limbs and trusti-ly knit. If but half so well as my arm shield and spear had a-

hal-ten, nimmer floh' ich dem Feind; doch zerschell-ten mir Speer und Schild.
vailed me, ne'er from foe had I fled; but in splinters were spear and shield.

Der Fein - de Meu-te hetzte mich müd', Ge-wit - ter-Brunst brach meinen Leib; doch
The horde of foe-men harried me sore, by storm and stress spent was my force; but

rallent.

schnel-ler als ich der Meute, schwand die Mü-digkeit mir: sank auf die Li-der mir Nacht,
quick-er than I from foe-men fled my faint-ness from me: dark-ness had sunk on my lids,

Allmälich etwas langsamer.

Wärme auf sie heftet. Er setzt so das Horn ab, und lässt es langsam sinken, während der Ausdruck der Miene in starke Ergriffen _
with growing warmth. Still gazing, he removes the horn from his lips and lets it sink slowly, whilst the expression of his

heit übergeht.)
features expresses strong emotion.)

(Er seufzt tief auf, und senkt den Blick düster zu Boden.)
(*He sighs deeply and gloomily lets his eyes sink to the ground.*)

SIEGM. (mit bebender Stimme.)
(with trembling voice.)

(lebhaft)
(quickly)

(Er bricht auf.)
(He starts up.)

Ei - nen Un - se - li - gen lab - test du:
Thou hast tended an ill - fat - ed one:

Un - heil wen - de der Wunsch von dir!
ill - fate would I might turn from thee!

(Er geht nach hinten.)
(He goes to-wards the back.)

Ge - ras - tet hab' ich und süss ge - ruht:
Good rest I found here and sweet re - pose:

wei - ter wend' ich den Schritt.
on - ward wend I my way.

Zweite Scene.   Second Scene.

Sieglinde fährt plötzlich auf, lauscht, und hört Hunding, der sein Ross aussen zu Stalle führt.
(Sieglinde starts, listens and hears Hunding, who is leading his horse to the stable out-side.

Mässig langsam.

sfp sehr bestimmt

pp   sempre *pp*

mf   dim.   *p*   *sf*

Sie geht hastig zur Thüre und öffnet —
She goes quickly to the door and opens it. —

etwas lebhaft

p   *f*

Hunding, gewaffnet mit Schild und Speer, tritt ein, und hält unter
Hunding, armed with shield and spear, enters and pauses at

ff sehr gemessen und bestimmt.

der Thüre, als er Siegmund gewahrt.
the threshold on perceiving Siegmund.

dim.   *p*

Hunding wendet sich mit einem ernst fragenden Blick an Sieglinde.
Hunding turns to Sieglinde with a look of stern enquiry.

ten.

f   *p*

ten.

SIEGL. (dem Blick Hunding's entgegnend.)
(answering Hunding's look.)

Müd' am Herd fand ich den Mann: Noth führt' ihn in's Haus.
Faint, this man lay on our hearth: need drove him to us.

p

das Nachtmahl.)

(Unwillkürlich heftet sie wieder den Blick auf Siegmund.)
(Involuntarily she again turns her gaze on Siegmund.)

(Hunding misst scharf und verwundert Siegmund's Züge, die er mit
denen seiner Frau vergleicht.)
*(Hunding looks keenly and with surprise at Siegmund's features,
which he compares with Sieglinde's.)*

HUNDING (für sich.)
(aside)

(Er birgt sein Be_
(He hides his sur-

Wie gleicht er dem Wei-be! Der gleissen-de Wurm glänzt auch ihm aus dem Au-ge.
How like to the woman! The ser-pent's de-ceit glist-ens, too, in his glances.

fremden, und wendet sich wie unbefangen an Siegmund.)
prise and turns unconcernedly to Siegmund.)

Weit her,
Far, I

HUNDING.

wen - dest von hier du nach West den Schritt, in Hö - fen reich hausen dort Sippen, die
wend-est thou hence to the west thy way, in homesteads rich findest thou kinsmen who

Hunding's Eh - re be - hü - ten: gönnt mir Eh - re mein Gast, wird sein
guard the honour of Hun - ding: guest, now grant me a grace, and thy

(Siegmund, der sich am Tische niedergesetzt, blickt nachdenklich vor sich hin. Sieglinde,
(Siegmund, who has taken his place at the table, gazes thoughtfully before him.

Na - me nun mir ge - nannt.
name make known in re - turn.

die sich neben Hunding, Siegmund gegenüber gesetzt, heftet ihr Auge mit auffallender Theilnahme und Spannung auf diesen.)
Sieglinde has placed herself next to Hunding, opposite to Siegmund, on whom she fastens her eyes with vioible sympathy and intentness.)

SIEGM.

Zu Schutt gebrannt der prangen-de Saal, zum Stumpf der Ei-che blü-hen-der Stamm; erschla-gen der
To ash - es burnt the good-ly a-bode, to dust the oak-tree's branch-ing stem; struck dead was the

Mutter mu-thiger Leib, verschwunden in Glu-then der Schwester Spur: uns schuf die her-be
mother's val - ourous form, and lost in the ru-ins the sis - ters trace: the Nei-dings' cru-el

Noth der Nei-din-ge har - te Schaar. Ge-
host had dealt us this dead - ly blow. Un-

äch-tet floh der Al-te mit mir; lange Jah-re leb-te der Junge mit Wol-fe im wil-den Wald:
friended fled my father with me; many years the stripling lived on with Wol-fe in woodlands wild:

26590

SIEGL.

weiter künde, Fremder: wo weilt dein Va-ter jetzt?
further tell us, stranger: where roams thy father now?

SIEGM.

Ein starkes Jagen auf
A fie-ry on-set on

Etwas bewegter.

SIEGM.

uns   stell-ten die Nei-din-ge   an: der Jä - ger vie - le
us   then did the Neidings be - -gin: but slain by the wolves fell

fie-len den Wölfen,   in Flucht durch den Wald   trieb sie das Wild;   wie
ma-ny a hunter,   in flight through the woods,   chased by their game,   like

Spreu zerstob uns der Feind.   Doch ward ich vom Va-ter ver-sprengt; sei-ne Spur ver-
chaff were scattered the foes.   But torn from my father was I;   his trace I

26590

SIEGM.

Frau - en warb, im - mer doch war ich ge - äch - tet: Un - heil lag auf mir. Was rechtes je ich
sought to win, still was I e - ver mis - trusted: ill-fate lay on me. Whate'er right thing I

rieth, andern dünk - te es arg, was schlimm immer mir schien, andern ga - ben ihm Gunst. In Feh - de
wrought, others counted it ill; what seemed e - vil to me, o - thers greeted as good. In feuds I

fiel ich wo ich mich fand, Zorn___ traf mich wo - hin ich zog; gehrt' ich nach Won - ne, weckt' ich nur
fell wher - e - ver I dwelt, wrath met me wher - e - ver I fared; striv - ing for glad-ness, woe was my

Weh': drum musst' ich mich Wehwalt nennen; des We - hes wal - tet ich
lot: my name then be Wehwalt e - ver; for woe still waits on my

SIEGM.

Gram.   Mit wil - der Thrä - nen Fluth   be-troff sie weinend die Wal;   um des Mor - des der
wrath.   From wild - ly streaming eyes   she bathed the dead with her tears;   for her bro - thers in

eig - nen Brü - der klag - te die un - sel'- ge Braut.
bat - tle slain   lam - ent - ed   the ill - fa - ted bride.

Der Erschlag'nen Sippen stürm-ten da-
Then the host of kins-men surged like a

her;   ü - bermächtig ächzten nach Ra-che sie: rings um die Stätte ragten mir Feinde.
storm;   full of fu - ry, vengeance they vowed on me: e - ver new foe-men rose to assail me.

SIEGM.

Doch von der Wal wich nicht die Maid;
But from the place ne'er moved the maid;
mit Schild und Speer
my shield and spear
schirmt' ich sie
shel - tered her

lang',
long,
bis Speer und Schild
till spear and shield
im Harst mir zer-hau'n.
were hewn from my hand.
Wund und
Wounded,

waffen - los stand ich —
weapon less stood I —
ster - ben sah ich die Maid:
death I saw take the maid:
mich
I

hetz - te das wü - - thende Heer —
fled from the fu - - ri - ous host —
auf den Leichen
life-less lay she
lag sie
on the

HUND.

mir.
me.

Zur Ra-che ward ich ge-ru-fen,
For vengeance forth was I summoned,

Süh-ne zu nehmen für
pay-ment to win me for

Sippen Blut:
kinsmen's blood:

zu spät kam ich, und keh-re nun heim,
too late came I, and now re-turn home,

des flücht'gen Frevlers Spur
the fly-ing out-cast's trace

im
to

(er geht herab.)
(he comes down.)

eig'-nen Haus zu er-späh'n.
find a-gain in my house.

Mein
My

Haus hü-tet, Wöl-fing, dich heut';
households thee, Wöl-fing, to-day;

für die Nacht nahm ich dich auf:
for the night, safe be thy rest:

(belebter)

mit star-ker Waf-fe doch weh-re dich mor-gen;
with trust-y wea-pon de--fend thee to-mor-row;

zum
I

26590

HUND.

Kam- pfe kies' ich den Tag: für Tod - te zahlst du mir
choose the day for the fight: as death - debt pay'st thou thy

accel. cresc.

(Sieglinde schreitet mit besorgter Gebärde zwischen die beiden Männer vor.)
(With anxious gestures Sieglinde steps between the two men.)

(barsch)
(harshly.)

Zoll. Fort aus dem Saal! säume hier
life. Hence from the hall! linger not

Sehr lebhaft.

nicht! Den Nachttrunk rü- ste mir drin, und har- re mein' zur Ruh'.
here! My night-draught set me with - in, and wait thou there for me.

(Sieglinde steht eine Weile unentschieden und sinnend.)
(Sieglinde stands awhile undecided and thoughtful.)

Langsam.

*(Sie wendet sich langsam
(She turns slowly and*

molto espress. più p

26590

und zögernden Schrittes nach dem Speicher.)
with hesitating steps towards the store room.)

(Dort hält sie wieder an und bleibt, in
(There she again pauses and remains

Sinnen verloren, mit halb abgewandtem Gesicht stehen.)
standing, lost in thought, with half averted face.)

(Mit ruhigem Entschluss öffnet sie
(With quiet resolution she opens

den Schrein, füllt ein Trinkhorn, und
schüttet aus einer Büchse Würze hinein.
*the cupboard, fills a drinking horn, and
shakes some spices into it from a box.*

Dann wendet sie das Auge auf Siegmund,
um seinem Blicke zu begegnen, den dieser fortwährend auf sie heftet.
*She then turns her eyes on Siegmund
so as to meet his gaze which he keeps
unceasingly fixed on her.*

Sie gewahrt Hunding's
Spähen und wendet sich
sogleich zum Schlafgemach.
*She perceives Hunding
watching them, and turns
immediately to the bed
chamber.*

Auf den Stufen kehrt sie sich noch einmal um, heftet das Auge sehnsuchtsvoll auf Siegmund, und deutet mit ihrem Blicke
On the steps she turns once more, looks yearningly at Siegmund and indicates with her eyes, persistently and with

andauernd und mit sprechender Bestimmtheit auf eine Stelle am Eschenstamme.
eloquent earnestness, a particular spot in the ash-tree's stem.

Hunding fährt auf, und treibt sie mit einer heftigen Gebärde zum Fortgehen an.
Hunding starts and drives her with a violent gesture from the room.

Mit einem letzten Blick auf Siegmund, geht sie in das Schlafgemach, und schliesst hinter sich die Thüre.)
With a last look at Siegmund, she goes into the bed-chamber, and closes the door after her.)

Rascher.

Langsam.

HUND. (nimmt seine Waffen vom Stamme herab.) *(taking his weapons from the tree-stem.)*

(Im Abgehen sich *(Going, turns*

Mässig wie zuerst.

Mit Waf - fen   wehrt sich der Mann.—
With wea - pons   man should be armed.—

zu Siegmund wendend.)
to Siegmund.)

Dich Wölfing treffe ich mor - gen: mein Wort hörtest du— hü - te dich wohl!
Thou, Wölfing, meet me to - mor - row: my word hearest thou— ward thyself well!

(Er geht in das Gemach; man hört ihn von innen den Riegel schliessen.)
(He goes into the chamber; the closing of the bolt is heard from within.)

bestimmt

(Siegmund allein. Es ist vollständig Nacht geworden; der Saal ist nur noch von einem schwachen Feuer im Herde erhellt.)
(Siegmund alone. It has become quite dark. The hall is only lighted by a dull fire on the hearth.)

Mässig langsam.

(Siegmund lässt sich, nah beim Feuer, auf dem Lager nieder, und brütet in grosser innerer Aufregung eine
(Siegmund sinks on a bench by the fire and broods silently for some time in great agitation.)

Zeitlang schweigend vor sich hin.)

SIEGM.

Ein Schwert verhiess mir der Va - ter, ich fänd' es in höch - ster Noth.__
A sword, my fa - ther fore-told me should serve me in sor - est need.__

Waffen-los fiel ich in Feindes Haus;
Sword-less I come to my foeman's house;

seiner Rache Pfand ra-ste ich hier:__
as a hostage here helpless I lie:__

26590

SIEGM.

ein Weib sah' ich, won - nig und hehr: ent - zü-ckend Ban-gen
a wife saw I, won-drous and fair and bliss-ful tremors

dolce p p *più p* p

zehrt mein Herz. Zu der mich nun Sehnsucht zieht, die mit süs - sem Zauber mich
seized my heart. The wo-man who holds me chained, who with sweet en-chant-ment

mf > p p

sehrt, im Zwan - ge hält sie der Mann, der mich wehr - lo - sen
wounds, in thrall is held by the man who mocks his wea-pon-less

poco a poco cresc. - - - più -

P. ✦ P. ✦

höhnt.— Wäl - se! Wäl - se! Wo ist dein
foe.— Wäl - se! Wäl - se! Where is thy

f - - - *più f* ff fp

P. 26590 P. ✦

SIEGM.

Schwert? Das starke Schwert, das im Sturm ich schwän - ge, bricht mir hervor aus der
sword? The trusty sword, that in fight shall serve me, when from my bo - som out-

(Das Feuer bricht zusammen; es fällt aus der aufsprühenden Gluth
plötzlich ein greller Schein auf die Stelle des Eschenstammes;
welche Sieglindes Blick bezeichnet hatte, und an der man jetzt
deutlich einen Schwertgriff haften sieht.)
*(The fire falls together. From the flame which springs up a bright
light strikes on the spot in the ash-stem indicated by Sieglinde's
look, on which a sword-hilt is now clearly seen.)*

Tempo I.

Brust, was wü - thend das Herz noch hegt? Was
breaks the fu - ry my heart now bears? What

Tempo I

gleisst dort hell im Glimmerschein? Welch ein Strahl bricht aus der Esche Stamm, Des
gleam - eth there from out the gloom? What a beam breaks from the ash-tree's stem! The

Blin - den Au - ge leuch - tet ein Blitz: lu - stig lacht da der Blick.
sight-less eye be - hold - eth a flash: gay as laugh-ter its light!

26590

SIEGM.

streif - te mich da: Wär - me ge-wann ich und Tag.
fell on me then: *bring - ing me warmth and day.*

Se - lig schien mir der Son - ne Licht; den Schei - del um-gliss mir ihr
Bless - ing came with the sun's bright rays; *the glad - den-ing splen - dour en-*

(Ein neuer schwacher
Aufschein des Feuers.)

won - ni - ger Glanz __ bis hinter Ber - gen sie sank.
cir - cled my head __ *till behind moun - tains it sank.*

(Another faint gleam
from the fire.)

Noch ein - mal, da sie
Once more, *ere day went*

26590

SIEGM.

schied, traf mich A-bends ihr Schein; selbst der
hence, fell a gleam on me here; e'en the

al - ten E-sche Stamm er - glänz-te in gold' - ner Gluth: da
an - cient ash-tree's stem shone forth with a gold - en glow: now

bleicht die Blü- the, das Licht verlischt; nächtiges Dunkel deckt mir das Au - ge: tief in des Bu-sens
pales the splendour, the light dies out; darkening shadow gathers a-round me: deep in my breast a-

(Das Feuer ist gänzlich verloschen: volle Nacht.)
(The fire is quite extinguished: complete darkness.)

(Das Seitengemach öffnet sich leise.)
(The door at the side opens softly.)

Ber - ge glimmt nur noch licht-lo - se Gluth.
lone yet glimmers a dim dy-ing glow.

26590

SIEGL.

Stärk - sten al - lein ward sie be - stimmt.   O mer - ke wohl, was ich dir
strong - est a - lone was it de - creed.   O heed thou well what I now

bestimmt

Langsamer.

mel - de!   Der Männer Sip - pe sass hier im Saal, von Hunding zur Hochzeit ge - la - den: er
tell thee!   The kinsmen gathered here in the hall, to honour the wedding of Hunding: the

Langsam.

frei - te ein Weib, das un - ge - fragt Schächer ihm schenkten zur Frau.   Trau - rig sass ich während sie tranken; ein
wo - man he chose, by him unwooed, mis - creants gave him to wife.   Sad I sat the while they were drinking; a

Mässig.

Frem - der trat da her - ein: ein Greis in grau - em Ge - wand;   tief
stran - ger en - tered the hall: an old man clad all in grey;   low

SIEGL.

hing ihm der Hut, der deckt' ihm der Au - gen ei - nes; doch des an - dren Strahl,
down hung his hat, and one of his eyes was hid-den; at the o - ther's flash

Angst schuf es al-len, traf die Män - ner sein mäch-ti-ges Dräu'n: mir al -
fear came on all men, when their eyes met its threat'-ning glance: yet on

(gut gehalten)

lein weck-te das Au-ge süss seh-nen-den Harm, Thränen und Trost zu-
me lin-gered his look with sweet yearn-ing re-gret, sor-row and solace in

dim.   p   più p   più p

gleich. Auf mich blickt' er, und blitz-te auf Je-ne, als ein Schwert in Hän - den er schwang; das
one. On me glancing, he glared on the others, as a sword he swung in his hands; which

bestimmt

SIEGL.

stiess er nun in der E - sche Stamm, bis zum Heft haf - tet' es
then he struck in the ash - tree stem; to the hilt bu - ried it

poco cresc.

P. P.

drin:___ dem soll-te der Stahl ge - ziemen, der aus dem Stamm es zög'. Der
lies:___ but one man might win the weapon - he who could draw it forth. Of

Breit.

f dim.- p sempre p

P.

Männer Al - le, so kühn sie sich mühten, die Wehr sich Keiner ge-wann; Gä - ste kamen und Gä - ste gingen, die
all the heroes, though bravely they laboured, not one the weapon could win; guests came hither and guests departed; the

p p

Stärk'sten zo-gen am Stahl__ keinen Zoll entwich er dem Stamm: dort haf - tet schweigend das
strongest tugged at the steel__ not a whit it stirred in the stem: there cleaves in si - lence the

p più p pp

26590

SIEGL.

Schwert.— Da wusst' ich wer der war, der mich gram-vol-le ge-
sword.— *Then knew I who he was who in sor-row greeted*

Ruhig.

grüsst: ich weiss auch, wem allein im Stamm das Schwert er be - stimmt.
me: I know too who a-lone shall draw the sword from the stem.

Sehr lebhaft.

O fänd _____ ich ihn
O might _____ I to-

heut' und hier, den Freund; käm' er aus Fremden zur ärmsten
day find here the friend; come from a-far to the sad-dest

SIEGL.

Frau: was   je   ich ge - lit - ten in grim - mi - gem
wife: *what*   *e'er*   *I have suf - fered in bit - ter - est*

Leid,   was   je   mich ge - schmerzt in Schan - de und
pain,   *what*   *e'er*   *I have borne in shame and dis-*

Schmach, _____ süs - - - - - se - ste
grace, _____ *sweet* _____ *were my*

Ra - che sühn - te dann Al - les!   Er - jagt   hätt' ich was
ven - geance, all were a - toned for!   *Re - gained   were then what-*

26590

SIEGM.

stimmt! Heiss in der Brust brennt mir der Eid, der
creed! *Hot in my breast burns now the oath that*

mich dir Ed - len vermählt. Was je ich er - sehnt er -
weds me e - ver to thee. *What - e'er I have sought in*

sah' ich in dir; in dir fand ich was je mir gefehlt!
thee now I see; in thee all that has failed me is found!

Lit - test du Schmach, und schmerz - te mich Leid; war ich ge - äch - tet, und
Though thou wert shamed and woe was my lot; though I was scorned and dis-

26590

(Siegmund zieht Sieglinde mit sanfter Gewalt zu sich auf das Lager, so dass sie neben ihm zu sitzen kommt.— Wachsende
(Siegmund draws Sieglinde to him on the couch with tender vehemence, so that she sits beside him.— Increasing

Mässig bewegt.

pp dolce

p (weich doch ausdrucksvoll)

cresc. —

Helligkeit des Mondscheines.)
brilliance of the moonlight.)

mf *dim.*

SIEGM.

Win- ter- stür - me wi- chen dem Won- ne- mond,— in mil- dem Lich- te leuchtet der Lenz; auf
Win- ter storms have waned in the moon of may,— with ten- der ra- diance sparkles the spring; on

pp

P. (u.c.)

lin- den Lüf - ten, leicht und lieb - lich, Wun- der we- bend er sich wiegt; durch
bal- my breez - es, light and love - ly, weaving wonders, on he floats; o'er

26590

star-ken Wehr:____ wohl muss-te den tap-fern Streichen die stren-ge Thü-re auch weichen, die
strong at-tack:____ as-sailed by his har-dy strokes now the doors are shattered that, fast and de-

trot-zig und starr uns trenn-te von ihm.____
fi-ant, once held us par-ted from him.____

Zu sei-ner Schwe-ster schwang____
To clasp his sis-ter hi-

er sich her; die Lie-____
-ther he flew; 'twas love____

SIEGM.

(zart)
(tenderly)

- - - be lock - - te den Lenz: in
that   lur - - ed the spring: _with_

uns' - - rem   Bu - sen   barg   sie sich
in   our   bo   soms   deep - - ly she

tief;   nun   lacht sie se - - - - - - - lig dem
_hid;   now   glad-ly she laughs_____ _to the_

Licht.
light.

Die bräut - li-che Schwe-ster be-frei - te der
The   bride   and sis - ter is freed by the

SIEGM.

Bru - - der; zer-trüm - mert liegt was je sie ge-trennt;
bro - - ther; in ru in lies what held them a - part;

jauch - zend grüsst sich das jun - ge Paar: ver - eint ____
joy-full - ly greet now the lov - ing pair: made one ____

sind Lie - - - -
are love

- - be und Lenz!
and spring!

26590

SIEGL.

Du bist der Lenz nach
Thou art the spring that

dem ich ver - lang - - te in fro - - sti - gen
I have so longed for in frost - - y

Win - - ters Frist. Dich
win - - ter's spell. My

grüss - - te mein Herz mit hei - - li - gem
heart — greet - ed thee with bliss - - ful - lest

SIEGL.

Grau'n, als dein Blick zu - erst mir er -
dread, as thy look at first on me

blüh- - - - te. Fremdes nur sah ich von
light- - - - ened. Strange has seemed all I e'er

je freundlos war mir das Na- - he; als hätt' ich nie es ge-
saw, friendless all that was round me; like far off things and un-

kannt, war was immer mir kam. Doch dich
known, all that e-ver came near. When thou

SIEGL.

kannt ich deut- lich und klar: als mein
cam est all_____ was made clear: as my

Au- ge dich sah, warst du mein Ei-
eyes_____ on thee fell mine wert thou on-

gen: was im Bu- sen ich barg, was ich bin,
ly: all I hid in my heart, all I am,

Allmälich bewegter

hell wie der Tag taucht' es mir auf, wie tö- nen-der
bright as the day dawned on my sight, like e- -cho-ing

64

SIEGM.

Herr - li - che, hehr dir es strahlt, der war: Wäl - - se ge -
fair est one, glis - tens thine own, of old, Wäl - - se was

SIEGL. (ausser sich.)
(beside herself.)

nannt.
named.

Lebhafter

War Wäl - - se dein Va - ter, und bist du ein Wäl - sung,
Was Wäl - - se thy fa - ther, and art thou a Wal sung?

stiess er für dich sein Schwert in den Stamm so lass mich dich heis - sen
Struck was for thee the sword in the stem, so let me now name thee

poco *cresc.*

wie ich dich lie be Siegmund, so nenn' ich
as I have loved thee: Siegmund, so name I

più *f*

SIEGM.

höch - - - ster Noth fänd' ich es einst:
sor - - - est need this should I find:

ich fass' es nun!
I grasp it now!

Hei - lig-ster Min - ne höch - ste Noth, seh - nen-der Lie - be seh - nen-de
Ho - li - est love's most high-est need, love-long-ing's pierc - ing pas - sion-ate

Noth _____ brennt mir hell in der Brust, _____ drängt zu That und
need, _____ burn - ing bright in my breast, _____ drives to deeds and

(Siegmund zieht mit einem gewaltigen Zuck das Schwert aus dem Stamme, und zeigt es der vor Staunen und Entzücken erfassten Sieglinde.)
(With a powerful effort Siegmund pulls the sword from the tree, and shews it to the astonished and enraptured Sieglinde.)

SIEGM.

se - - ligste Frau; dem Fein - des-haus ent -
wo - - man most blest; from foe - man's house thus

führt er dich so. Fern von hier
bears her a - way. Far from here

fol - ge mir nun, fort in des Len - zes
fol - low me now, forth to the laugh - - ing

la - chen-des Haus: dort schützt dich No - - thung das
house___ of spring: there guards thee No - - thung the

SIEGL.

sehnt: die eig - ne Schwe-ster gewannst du zu eins mit dem
longed: thine own twin sis - ter thou win - nest at once with the

molto cresc. f p

(Sie wirft sich ihm an die Brust.)
(She throws herself on his breast.)

Schwert!
sword!
SIEGM.

Immer schneller.

Braut und Schwe - ster
Bride and sis - ter

più f

bist du dem Bru - der so
be to thy bro - ther: then

più f

più f

(Er zieht sie mit wüthender Gluth an sich. — Der Vorhang fällt schnell.)
(He draws her to him with passionate fervour. — The curtain falls quickly.)

blü - he denn Wäl - sun - gen Blut!
flour - ish the Wäl - sungs for aye!

f f ff (wüthend)

P. 26590 P.

Zweiter Aufzug.
Vorspiel und erste Scene.

Second Act.
Prelude and first scene.

Der Vorhang geht auf. __(Wildes Felsengebirg. Im Hintergrunde zieht sich von untenher eine Schlucht herauf, die auf ein erhöhtes Felsjoch mündet; von diesem senkt sich der Boden dem Vordergrunde zu wieder abwärts.)

The curtain rises. __ (*A wild rocky place. In the background a gorge slopes from below to a high ridge of rocks, from which the ground again sinks to the front.*)

WOTAN (kriegerisch gewaffnet, mit dem Speer: vor ihm Brünnhilde, als Walküre, ebenfalls in voller Waffenrüstung.)
(*fully armed, carrying his spear: before him Brünnhilde, as a Valkyrie, likewise fully armed.*)

Nun zäume dein Ross, rei-si-ge Maid; bald ent-brennt brünstiger Streit. Brünnhilde stürme zum
Now bridle thy horse, warri-or maid; soon will blaze fu-ri-ous strife. Brünnhilde, haste to the

Dasselbe Zeitmass.

Streit, dem Wäl-sung kie-se sie Sieg! Hun-ding wäh-le sich, wem er ge-hört; nach
fray, to shield the Wälsung in fight! There let Hunding go, where he be-longs; in

Wal-hall taugt er mir nicht. Drum rü-stig und rasch, rei-te zur
Wal-hall want I him not. Then ready and fleet, ride to the

26590

BRÜNNH.

hei - - - - - - - - - - a - ha
hei - - - - - - - - - - a - ha

ha!
ha!

(Sie hält auf einer hohen Felsenspitze an, blickt in die hintere Schlucht hinab, und ruft zu Wotan zurück.)
(On a high peak she stops, looks into the gorge at the back and calls to Wotan.)

ho - jo - ho!
ho - jo - ho!

♩=♩. (nicht eilen.)

(Pauken auf G)

Dir rath' ich, Va-ter, rü-ste dich selbst; harten Sturm sollst du be-
Take warning, father, look to thy-self; storm and strife must thou with-

steh'n.   Fri-cka naht, deine Frau   im Wagen mit dem Widderge - spann.
stand.   Fri-cka comes to thee here,   drawn hither in her car by her   rams.

BRÜNNH.

Hei! wie die gold'- ne Gei-sel sie schwingt! Die ar- men Thiere äch-zen vor Angst; wild rasseln die
Hei! how she swings the gol - den scourge! The wretched beasts are groaning with fear; wheels fu-rious-ly

Räder; zor- nig fährt sie zum Zank. In solchem Strausse streit' ich nicht
rattle; fierce she fares to the fray. In strife like this I take no de-

gern, lieb ich auch mu-thi-ger Män- ner Schlacht; drum sieh wie den Sturm du bestehst: ich lu - sti - ge lass' dich im
light, sweet thought to me are the fights of men; then take now thy stand for the storm: I leave thee with mirth to thy

Stich. Ho-jo - to - ho! ho-jo - to - ho! hei-a-
fate. Ho-jo - to - ho! ho-jo - to - ho! hei-a-

ha! heia - ha! ho-jo-to-ho! ho-jo-to-ho! heia-
ha! heia - ha! ho-jo-to-ho! ho-jo-to-ho! heia-

26590

86

FRICKA.

Ich ver-nahm Hun-ding's Noth, um
I have heard Hunding's cry, for

WOTAN.

Fricka kümmert, künde sie frei.
troubles Fri-cka freely be told.

Ra-che rief er mich an: der E - he Hü - te - rin hör-te ihn, verhiess
vengeance called he on me, and wed - lock's guar - dian gave ear to him: I made

streng zu strafen die That des frech freveln-den Paar's, das kühn den Gat - ten ge-kränkt.
oath to punish the deed of this in-famous pair who rash-ly wrought him a wrong.

WOTAN.

Was so
What so

schlimmes schuf das Paar, das lie-bend ein-te der Lenz? Der Min-ne Zau-ber ent-zück-te sie: wer
e - vil wrought the pair whom spring u - ni-ted in love? 'Twas love's enchantment en-raptured them; I

26590

FRICKA.

Wie thö - rig und taub du dich stellst, als wüss-test für-wahr du
Thou feign'st to be fool-ish and deaf, as though thou knew'st not, in

WOTAN.

büsst mir der Min-ne Macht?
rule not where love doth reign.

nicht, dass um der E - he hei-li-gen Eid, den hart verletzten, ich kla - ge!
sooth, that now for wed-lock's ho-ly oath, profaned so rudely, I call thee!

Unheilig
Un-ho-ly

WOTAN.

acht' ich den Eid, der Un - lie-bende eint; und mir wahr-lich muthe nicht zu, dass mit Zwang ich hal-te, was dir nicht
hold I the oath that binds unloving hearts; from me, prithee, do not demand that by force I hold what with stands thy

haf-tet: denn wo kühn Kräfte sich re - gen, da rath' ich offen zum Krieg.
power: for where bold spirits are moving, I stir them ever to strife.

Schnell.

FRICKA.

Ach-test du rühmlich der E - he Bruch, so prah - le nun wei-ter und preiss' es hei-lig, dass
Deemest thou praise-worthy wed-lock's breach, then prate thou yet farther and call it ho-ly that

Mässig.

Blut - schan-de ent-blüht dem Bund ei-nes Zwil - lingspaar's! Mir schaudert das Herz, es
shame now blossom forth from bond of a twin-born pair! I shudder at heart, my

schwin-delt mein Hirn: bräut-lich umfing die Schwester den Bru - - der!
rea - son doth faint, bro-ther embraced as bride his own sis - - ter!

Wann ward es er - lebt, dass leib - lich Ge-schwister sich lieb - ten?
When was it e'er known that bro-ther and sis - ter were lov - ers?

Mässig langsam.

WOTAN.

Heut___ hast du's er - lebt! Er -
Known___ 'tis now to thee! Then

p dolce

26590

FRICKA.

Göttern, seit du die wil - den Wälsun-gen zeugtest? Heraus sagt' ich's; traf ich den
god hood since thou be - gatt'st the ri - o - tous Wälsungs? I now speak it; pierced is thy

Sinn? Nichts gilt dir der Heh - ren hei - li - ge Sip - pe!
thought? Nought worth is to thee the race of e - ternals!

Hin wirfst du Al - les was einst du ge - achtet, zer - reis - sest die Ban - de, die selbst du ge -
A - way thou castest what once thou didst honour; thou break - est the bonds thou thy - self hast or -

bun - den, lö - sest lachend des Himmels Haft:
dain - ed, loo - sest laughing all hea - ven's hold

26590

92

FRICKA.

26590

93

26590

FRICKA.

selbst, dei - nes Wunsches Braut, in Ge - hor - sam der Her - rin du gabst. Doch
self, thine own wish-'s bride, to the god-dess as hand-maids thou gav'st. *But*

jetzt, da dir neu - e Na - men ge - fie - len, als „Wäl - se"wölfisch im
now, when un-wont - ed names have ensnared thee, *as «Wäl - se"wolfish in*

Wal - de du schweiftest; jetzt, da zu nied-rigster Schmach du dich neig-test, ge - mei - - ner Menschen ein
*woods thou hast wandered; now that to deep-est dis-grace thou hast fal - len,_to fos - - ter mortals be_*

Paar zu er-zeu-gen: jetzt dem Wur - fe der Wöl - - fin wirfst du zu
got of thy falseness: shamed by whelps of a wolf thou fling'st at thy

cresc.

26590

FRICKA.

Füs - sen dein Weib!
feet, *too,* *thy wife!*

So führ' es denn aus! Fül-le das Maass!
Then fin - - ish thy work! *Fill now the cup!*

Die Be-trog' - ne lass' auch zer-tre - ten!
The be-trayed one trample be-neath thee!

WOTAN.

ruhig.
quietly.

Nichts lern-test du,
Nought learnedst thou

Etwas langsamer.

26590

wollt' ich dich leh-ren, was nie du er - ken-nen kannst, eh' nicht er - tag - te die That.
when I would teach thee what ne-ver canst thou dis-cern, till day has dawned on the deed.

Stets gewohntes nur magst du verstehn: doch was noch nie sich traf, da-nach trach-tet mein
Wont - ed things on - ly canst thou conceive, but what ne'er yet be - fel there - on brood-eth my

Sinn. Ei - nes hö - re! Noth thut ein Held, der le - dig gött-lichen
thought. This thing hear thou! Need - ed is one who, free from help of the

Schutzes, sich lö - se vom Götter - ge - setz. So nur taugt er zu wirken die That die, wie Noth sie den
god-head, fights free from the godhead's con - trol. So a-lone were he meet for the deed which, tho' the need of our

Göt - tern, dem Gott doch zu wir - ken ver-wehrt.
god - hood, to a-chieve is de - nied to a god.

Gemessen.

26590

FRICKA.

Mit tie-fem Sin-ne, willst du mich täuschen: was Heh-res soll-ten Helden je wirken, das ihren
With dark-some meanings wouldst thou mis-lead me: was aught of worth to heroes e'er granted which to their

FRICKA.

Göttern wä - re ver-wehrt, de-ren Gunst in ih-nen nur wirkt.
gods themselves was de - nied, by whose grace a-lone they may work?

WOTAN.

Ih-res eig'nen Mu-thes ach - test du
Their own spirit's free-dom count'st thou for

Wer hauch - te Men-schen ihn ein? Wer hell - te den Blö-den den Blick? In dei - nem
Who breathed their souls in - to men? Who lightened their purblind eyes? Behind thy

nicht?
nought?

FRICKA.

Schutz scheinen sie stark, durch deinen Stachel stre-ben sie auf: du rei - zest sie einzig, die so mir Ew'gen du
shield bold is their mien, spurred on by thee they strive to arise: thou stirr'st them a-lone whom to me-thy wife-thou dost

26590

FRICKA.

rühmst.
laud.
Lebhaft.

Mit neuer List willst du mich be - lügen, durch neu-e Ränke mir jetzt ent-rinnen, doch die-sen
With new deceit wilt thou now de-lude me? by new de-vi-ces wouldst thou escape me? but not this

Wäl - sung gewinnst du dir nicht; in ihm treff' ich nur dich, denn durch dich trotzt er al-
Wäl - sung from me shalt thou win; in him find I but thee, for through thee dares he a-

lein.
lone.

ergriffen.
with emotion.

WOTAN.

In wil - dem Lei-den erwuchs er sich selbst: mein Schutz schirmte ihn
In sor-est sor-row he wrought for him-self: my shield sheltered him

So schütz' auch heut' ihn nicht! Nimm ihm das Schwert, das du ihm ge-schenkt.
To-day, then, shield him not! Take back the sword that thou hast be-stowed.

nie.
not.

Das
The

FRICKA.

WOTAN. Ja, das Schwert das zau-berstark zu-ckende Schwert, das du Gott dem Soh-ne
Aye, the sword___ the ma-gic-al, glit-tering sword, that thou, god, didst give thy

Schwert?
sword?

poco cresc. -

f   *p*

(Wotan drückt in seiner ganzen Haltung von hier an
einen immer wachsenden unheimlichen, tiefen Unmuth aus.)
*(From here Wotan's whole demeanour expresses
ever-increasing uneasiness and gloom.)*

(eifrig fortfahrend.) *(continuing vehemently.)*

gabst! heftig. (mit unterdrücktem Beben.) Du schufst ihm die Noth, wie das neid-liche
son! violently. (with tremulous voice.) Thou brought'st him the need, and the conquering

Siegmund gewann es sich selbst in der Noth.
Siegmund has won it him-self in his need.

f   *sf*   *p*

pp

Schwert. Willst du mich täuschen, die Tag und Nacht auf den Fer-sen dir folgt?
sword. Wouldst thou deceive me who day and night in thy foot-steps have fared?

sf   *p*   *sf*

sempre pp

Für ihn stiessest du das Schwert in den Stamm, du ver-hiessest ihm die hehre Wehr: willst du es
For him struckest thou the sword in the stem, thou didst promise him the sacred blade; wilt thou de-

p   *sf*   *p*

26590

FRICKA.

(Wotan fährt mit einer grimmigen Gebärde auf.)
(Wotan makes a wrathful gesture.)

läugnen, dass nur dei-ne List ihn lock-te, wo er es fänd'?
ny, then, that thy craft a - lone had lured him where it lay hid?

(Fricka immer sicherer, da sie den Eindruck gewahrt, den sie auf Wotan
(*Fricka, more and more confident, as she sees the impression she has*

Mit Un-frei-en strei-tet kein
The gods do not bat-tle with

hervorgebracht hat.)
made on Wotan.)

Ed - ler, den Frev - ler straft nur der Frei - e.
bonds-men, the free but pun - ish trans-gres - sors.

Wider dei - ne Kraft führt' ich wohl Krieg: doch Sieg -
Tho' a-gainst thy might war have I waged: *yet Sieg -*

26590

FRICKA.

Fre - chen zum Sporn, dem Frei - en zum Spott?
fro - ward a spur, a scoff to the free!

Das kann mein Gat - te nicht wollen, die
That can my hus - band not wish me, not

Göt - - tin ent - weiht er nicht so!
so_____ shall a god - dess be shamed.

Langsamer.

WOTAN. (finster)
(gloomy)

Lass von dem Wälsung!
Shield not the Wälsung!

(mit gedämpfter Stimme.)
(with muffled voice.)

Was verlangst du?
What demand'st thou? Lebhaft.

Langsamer.

Er
His

Doch du schütze ihn nicht, wenn zur Schlacht ihn der Rä - cher ruft!
But thou shel - ter him not, when to arms the a - ven - ger calls!

geh' seines Weg's.
way let him go. Etwas lebhafter.

26590

(Brunnhilde tritt mit besorgter Miene verwundert vor Wotan, der auf dem Felssitze zurückgelehnt in finsteres Brüten versunken ist.)
(Brünnhilde comes forward with wondering and anxious mien to Wotan, who, leaning back on the rocky seat, is sunk in gloomy brooding.)

Zweite Scene.   Second Scene.

BRÜNNH.

Schlimm, fürcht' ich, schloss der Streit, lach-te Fri - cka dem Loo-se.
Ill sure-ly closed the strife; Fri-cka laughs at its ending.

Mässig.

Va - ter, was soll dein Kind er - fah-ren?
Fa-ther, what woe hast thou to tell me?

Trü - be scheinst du und traurig!
Gloomy seem'st thou and cheerless!

WOTAN.

(er lässt den Arm machtlos sinken, und den Kopf in den Nacken fallen.)
(drops his arm helplessly and lets his head sink on his breast.)

In eig'-ner Fessel fing ich mich,
I lie in fetters forged by me,

ich un - frei - ester Al-ler!
I, least free of all liv-ing!

BRÜNNH.

So sah ich dich nie: was nagt dir das Herz?
Ne'er saw I thee so: what gnaws at thy heart?

(Von hier an steigert sich Wotans Ausdruck
(From this point Wotan's expression and

Immer belebter.

und Gebärde bis zum furchtbarsten Ausbruch.)
gestures grow in intensity, culminating in a fearful outburst.)

WOTAN.

O hei - li - ge Schmach!
O in - fin-ite shame!

cresc.

O schmäh - li - cher Harm!
O shame - ful dis - tress!

cresc.

molto cresc.

Göt - - ternoth! Göt - - ternoth! End -
Gods'___ despair! Gods'___ despair! Un -

f p cresc. più f ff fp

P. 26590 P. p P.

und Hände ihm auf Knie und Schooss. Wotan blickt ihr lange in das Auge; dann streichelt er ihr mit unwillkürlicher Zärtlichkeit die Locken. Wie aus tiefem Sinnen zu sich kommend, beginnt er endlich.)
loving concern on his knees and breast. Wotan looks long in her eyes; then he strokes her hair with unconcious tenderness. As if coming to himself out of deep brooding, he at last begins.)

BRÜNNH.

sehr leise.
very softly.

WOTAN. *sehr leise.*
very softly.

Lass' ich's verlau-ten, lös' ich dann nicht meines Wil-lens hal-ten-den Haft?
If I now tell it, shall I not loos-en my will's o'er-mas-ter-ing hold?

Zu Wo-tan's
To Wo-tan's

Wil-len sprichst du, sagst du mir was du willst; wer bin ich, wär' ich dein Wil-le nicht?
will thou speak-est, when thou tell'st what thou wilt; what am I, if not thy will a-lone?

WOTAN. *sehr leise.*
very softly.

Was kei-nem in Wor-ten ich künde,
What in words to none o-ther I ut-ter,

un-aus-ge-
still will re-

26590

sprochen bleib' es denn e - wig: mit mir nur rath' ich, red' ich zu dir.
main un - spok - en for e - ver: I speak in se - cret, speak - ing to thee.

pp   pp   pp

(mit gänzlich gedämpfter Stimme.)
(with a muffled voice.)

Als jun - ger Lie - be
When youth - ful love's de -

Noch langsamer.

Streng im Zeitmass.

pp

Lust mir verblich, verlangte nach Macht mein Muth: von jäh - er Wünsche Wüthen gejagt, gewann ich mir die
light from me fled, my spirit yet longed for sway: by force of wild - est wishes impelled, I won myself the

Welt; un - wissend trug - voll, Un - treu - e übt' ich, band durch Ver - trä - ge was Un - heil barg:
world; faith - less, I wrought in un - knowing false - ness, bind - ing by bargains what hid mis - hap;

pp

lis - tig ver - lock - te mich Lo - ge, der schweifend nun verschwand.
craft - i - ly guid - ed by Lo - ge, who wan - dered then a - far.

Von der
Yet the

pp   p

WOTAN.

Lie- be doch mocht' ich nicht las- sen, in der Macht ver-langt' ich nach Min - ne.
passion of love would not loose me, in my might for love was my long - ing.

Den Nacht gebar, der ban-ge Ni-belung, Al-be-rich, brach ih - ren Bund; er fluch-te der Lieb' und ge-
The child of night, the craven Ni-belung, Al-be-rich, broke from its bonds; for love he forswore and so

wann durch den Fluch des Rhei-nes glän-zendes Gold, und mit ihm maass-lo-se Macht.
won by his oath the glist'ning gold of the Rhine, and with it un-meas-ured might.

Den Ring, den er schuf, ent - riss ich ihm lis-tig; doch nicht dem Rhein gab ich ihm zurück: mit ihm be-
The ring that he wrought I craft-i-ly won me; but to the Rhine gave it not a-gain: with it I

zahlt' ich Wal-hall's Zin-nen, der Burg, die Riesen mir bau-ten, aus der ich der
paid the price of Wal-hall, the home the giants had built me, where-from I now

26590

WOTAN.

Welt nun ge-bot.
ruled all the world

Die Al-les weiss, was eins-ten war, Er-da, die
She who doth know all things that were, Er-da, the

weih-lich wei-ses-te Wa-la, rieth mir ab von dem Ring, warnte vor e-wi-gem En-de.
wis-est hol-i-est Wa-la, spoke ill redes of the ring, told of e-ter-nal dis-as-ter.

etwas heftiger.
more vehement.

rallent.

belebend.
with animation.

Von dem En-de wollt' ich mehr noch wissen; doch schwei-gend ent-schwand mir das Weib.__ Da ver-
Of the down-fall I craved yet more tidings; but voice-less she van-ished from sight.__Then was

lor ich den leichten Muth, zu wis-sen begehrt'es den Gott: in den Schooss der Welt schwang ich mich hinab, mit
saddened my lightsome heart, to know then became all my need: to the womb of earth wend-ed I my way, by

26590

115

26590

WOTAN.

schmäh-li-ches En - de der Ew'-gen. Dass stark zum Streit uns fän - de der Feind,
shame-ful de-feat of the great ones. That foes might find us strong for the strife,

liess ich euch Hel - den mir schaffen: die her-risch wir sonst in Ge - set-zen hiel-ten, die
he - roes I bade you to bring me: the slaves we had held by our laws in bond-age, the

Männer, de - nen den Muth wir gewehrt, die durch trü-ber Verträ - ge trü-gende Ban-de zu
mortals whom in their might we de-fied, whom, en - thral-led by dark-some, treacherous bargains, we

immer belebter, doch mit gemässigter Stärke.
becoming more animated, but with moderate power.

blindem Gehorsam wir uns ge - bun - den die solltet zu Sturm und Streit ihr nun stacheln ihre
bound in o-bedience blindly to serve us these e - ver to storm and strife should ye kindle, their

26590

WOTAN.

warnt! Durch Alberich's Heer droht uns das En - de: mit nei - dischem Grim, grollt mir der Niblung:—
told. Through Alberich's host threatens our down-fall: with en - vi-ous rage burneth the Niblung;—

dochscheu'ich nun nicht sei-ne nächti-genSchaaren, meine Hel - den schüfen mir Sieg.
but no more I dread now his dusky bat-talions, by my he - roes safe were I held.

Nur wenn je den Ring zurück er gewänne, dann wä - re Wal-hall ver-lo-ren: der der Liebe
Yet, if e'er the ring were won by the Niblung, then lost were Walhall for e - ver: for to him a-

fluchte, er al-lein nützte neidisch des Ringes Ru-nen zu al - ler Ed-len end-lo-senSchmach; der Helden
lone, who love for-swore, is it giv-en to use the runes of the ring to the endless shame of the gods; my her-oes'

WOTAN.
belebend.
becoming animated.

Muth ent-wen-det' er mir, die Küh-nen sel-ber zwäng er zum Kampf, mir ih-rer
faith from me would he turn, and stir to strife my fight-ers them-selves, and with their

Kraft be-kriegte er mich. Sor-gend sann ich nun selbst, den Ring dem Feind zu entreis-sen.
might give bat-tle to me. Urged by fear then I thought to rob the ring from the foe-man.

Der Rie-sen ei-ner, de-nen ich einst mit verfluch-tem Gold den Fleiss ver-galt:
The gi-ant Faf-ner, who from my hand the ac-curs-ed gold as wage did win

Faf-ner hü-tet den Hort, um den er den Bru-der ge-fällt. Ihm müsst' ich den
he now guard-eth the hoard for which his brother he slew. From him must I

Reif entrin-gen, den selbst als Zoll ich ihm zahl-te. Doch mit dem ich ver-trug, ihn darf ich nicht
wrest the ring, that my-self I gave him as guer-don. But the bond I have made, for-bids me to

26590

WOTAN.

tref - fen; macht-los vor ihm er-lä - ge mein Muth:__ das sind die Ban - de, die mich
strike him; might-less my force would fall__ be-fore him:__ these are the fet - ters that now

bin - den: der durch Ver - trä - - ge ich Herr, den Verträ - gen bin ich nun Knecht.
hold me: I, who by bar - -gains am lord, to my bargains eke am a slave.

Etwas belebter.

Nur Ei - ner könnte, was ich nicht
But one may dare what to me is den-

darf:__ ein Held, dem hel - fend nie__ ich mich neig - te, der fremd dem Got - te,
ied:__ a he - ro ne - ver helped__ by my coun - sel, to me unknown and

WOTAN.

Frei - en, den nie ich schirmte, der im eig' - nen Trotze der trau - teste mir?
free one, by me ne'er shield-ed, in his firm de - fiance the dear - est to me?

Wie macht ich den And - - ren, der nicht mehr ich, und aus sich
How fash - ion the Oth - - er who, not through me, but from his

wirk - - te was ich nur will? O, gött - - li-che Noth!
will for my ends shall work? O, god - head's dis-tress!

Gräss - liche Schmach! Zum E - - kel find' ich e-wig nur mich in Al-lem was ich er-
Sor - est disgrace! In loath - - ing find I e-ver my-self in all my hand has cre-

WOTAN.

wir - ke; das And' - - re, das ich er - seh - ne, das And - - re er - seh' ich
a - ted; the Oth - - er whom I have longed for, that Oth - - er I ne'er shall

nie: denn selbst muss der Frei - e sich schaffen;
find: him - self must the free__ one cre - ate him;

Knech - te er - knet' ich mir nur.
my hand nought shap - eth but slaves.

BRÜNNH.

Doch der Wälsung, Sieg - mund? wirkt er nicht selbst?
But the Wälsung, Sieg - mund, works for him - self?

26590

WOTAN.

Wild durchschweift ich mit ihm die Wäl - der;
Wild - ly roam - ing with him in wood-lands,
gegen der Göt - ter Rath reiz-te kühn ich ihn
e - ver a-gainst the gods, then his spi - rit I

auf: gegen der Götter Rache schützt ihn nun einzig das Schwert, das ei - nes Got - tes Gunst ihm be-
stirred: now'gainst the godhead's vengeance guarded is he by the sword, that thro' the grace of a god was be-

gedehnt und bitter.
slowly and bitterly.

schied. Wie wollt' ich li - stig selbst mich be - lü - gen? So leicht ja entfrug mir
stowed. Why would I trick my-self with my cunning? So light - ly my false-hood

Fricka den Trug: zu tiefster Scham durch-schau-te sie mich! Ihrem Willen muss ich ge -
Fricka laid bare: be-fore her glance I stood in my shame! To her will I now must

rasch.
fast.

WOTAN

Schmach!
shame!
Zu - sam - men bre - - che was ich ge -
Let fall in ru - - ins what I have

baut!
raised!
Auf geb' ich mein Werk; nur
End - ed is my work; but

Ei - - - nes will ich noch: das En - de das
one _____ thing waits me yet: the end - ing, the

(Er hält sinnend ein.)
(He pauses in thought.)

En - de!
down - fall!
Und für das En - de sorgt Al - be - rich;
And for the down - fall works Al - be - rich;

Langsam

26590

WOTAN.

jetzt versteh' ich den stummen Sinn des wil-den Wor-tes der Wala:
now I grasp all the se-cret sense, that filled the words of the Wala:

„wenn der Lie - be finst - rer Feind zür - nend zeugt einen
"when the dusk - y foe of love grim - ly get-teth a

Sohn, der Sel - gen En - de säumt dann nicht!"
son, the doom of gods de - lays not long?"

Vom Niblung jüngst vernahm ich die Mähr', dass ein Weib der Zwerg bewältigt, dess'
Of the Niblung late a rumour I heard, that the dwarf had won a woman, by

26590

WOTAN.

Nib - - lungen Sohn! Was tief mich ekelt, dir geb' ich's zum Er - be, der
Nib - - el-ung son! What I have loathed now mayst thou in - her - it; *the*

Gott - - heit nich - - ti-gen Glanz: zer-na-ge ihn gie - rig dein
emp - - ty pomp of the gods thy en-vi-ous greed shall con-

BRÜNNH.

erschrocken.
alarmed.

Etwas lebhafter.

O sag'!
O say!

Neid!
sume!

künde, was soll nun dein Kind?
tell me, what task must be mine?

bitter.
bitterly.

Frommstreite für Fricka;
Fight tru-ly for Fricka;

26590

WOTAN.

trocken
drily

hü - te ihr Eh' und Eid! Was sie er-kor, das kiese auch ich: was frommte mir eig'ner Wil-le? Ei-nen
ward for her wedlock's oath! What she doth choose, that too be my choice: what good can my will e'er gain me? for the

BRÜNNH.

Weh'! nimm
Ah! re-

Frei - en kann ich nicht wol-len: für Fricka's Knechte, kämpfe nun du!
free one can it not fashion: for Fricka's servants fight thou a - lone!

Etwas bewegter.

reu - ig zu-rück das Wort! Du liebst Sieg - mund; dir zu
pent thee, take back thy word! Thou lov'st Sieg - mund; know ing thy

Lieb', ich weiss es, schütz' ich den Wälsung.
love, to serve thee, safe will I shield him.

WOTAN.

Fäl-len sollst du Siegmund, für
Siegmund shalt thou van-quish, and

WOTAN.

Hun-ding er-fech-ten den Sieg!
Hun-ding as vic-tor shall strike!
Hü-te dich wohl, und hal-te dich
Ward thy-self well, and hold thy-self

stark; all dei-ner Kühnheit ent-bie-te im Kampf: ein Sieg - schwert
firm; bring all thy bold-ness and skill to the strife: a sure sword

schwingt Sieg - mund;— schwer-lich fällt er dir
swings Sieg - mund;— faint heart wilt thou not

BRÜNNH.

Den du zu lie - ben stets mich ge-lehrt, der in heh - rer
He whom thou still hast taught me to love, who in glor - ious

feig!
find!

26590

BRÜNNH.

Tu - gend dem Herzen dir theu - er,____ gegen ihn zwingt mich nimmer dein zwei-späl-tig
val - our was e - ver thy dear-est____ for his sake now thy wav-er-ing word I de-

Wort!
fy!
WOTAN.

Ha, Freche du! Fre-velst du mir? Wer bist du, als meines Willens blind
Ha, darest thou? Flout-est thou me? Who art thou__ who but the fet-tered blind

wäh - len-de Kür?
slave of my will?

Da mit dir ich tag - te, sank ich so tief, dass zum Schimpf der eig - nen Ge-
In that I have spok - en, such is my shame that e'en thou, my crea-ture, dost

WOTAN.

Welt, die einst zur Lust mir ge-lacht:— we-he dem, den er
world that in my joy on me laughed:— woe to him whom it

trifft! Trau-er schüf' ihm sein Trotz! Drum
strikes! Sad in sooth were his fate! I

rath' ich dir, rei-ze mich nicht! Be-sor-ge, was ich be-
warn thee then, wake not my wrath! With heed ful-fil my be-

fahl: Sieg-mund fal-le! Diess sei der Wal-kü-re
hest: Sieg-mund strike thou! Such be the Val-ky-rie's

(Er stürmt fort, und verschwindet schnell links im Gebirge.) (Brünnhilde steht lange erschrocken und betäubt.)
(He storms away and quickly disappears among the rocks to the left.) (Brünnhilde stands for a long time confused and alarmed.

Werk!
task!

26590

BRÜNNH.

seufzend.
sighing.

Weh! mein Wälsung!
Woe! my Wälsung!

Im
In

poco riten.   a tempo.

poco riten.

a tempo.

höchsten Leid muss dich treulos die Treu-e   ver-las-sen!
sor-est   sor-row the true one must falsely   for-sake thee!

(Sie wendet sich langsam dem Hintergrunde zu.)
(She turns slowly towards the back.)

Sehr langsam.

Dritte Scene.

Third Scene.

(Auf dem Bergjoche angelangt, gewahrt Brünnhilde, in die Schlucht hinabblickend, Siegmund und Sieglinde: sie betrachtet die
(Arrived at the rocky pass, Brünnhilde, looking into the gorge, perceives Siegmund and Sieglinde: she watches them for a moment

Bewegter.

Nahenden einen Augenblick; dann wendet sie sich in die Höhle zu ihrem Rosse, so dass sie dem Zuschauer gänzlich verschwindet.)
and then goes into the cavern to her horse, disappearing from the audience.)

(Siegmund und Sieglinde erscheinen auf dem Bergjoche.)
(Siegmund and Sieglinde appear on the pass.)

(Sieglinde schreitet hastig voraus.
(Sieglinde comes hastily forwards.

Siegmund sucht sie aufzuhalten.)
Siegmund tries to restrain her.)

26590

SIEGL.

weg! hin-weg! flieh die Ent-weih-te! Un - hei - lig um - fängt dich ihr Arm; entehrt, ge-
way! a - way! fly the pro-faned one! Un - ho - li - ly holds thee my arm; disgraced, dis-

mf *f* *p* *cresc.*

schändet, schwand dieser Leib: flieh' die Lei-che, las-se sie los! der Wind mag sie verweh'n, die
honoured, dead is this form: cast it from thee, flee from the corpse! let winds waft her a-way who,

f *ff* P. ✠

ehr - los dem Ed - len sich gab!
grace-less, her-self gave to thee!

Etwas langsamer werdend.

p *p* *mf* *f* P. ✠

Da er sie lie-bend um - fing, da
When in his lov-ing em-brace, when

più p *pp*

SIEGL.

se - ligste Lust sie fand, da ganz sie minn-te der Mann, der ganz ihr
bliss-ful de - light she found, *when all his love was her own,* *who all her*

Min - ne ge-weckt von der süs - sesten Won - ne
love had a-waked from the ho - li-est height of

hei - ligster Wei - he, die ganz ihr Sinn und See -
sweet - est rap - ture, that all her soul and sens -

- le durchdrang, Grau - en und
- es o'er-flowed, *loath - ing and*

SIEGL.

Schau——der ob gräss————lich-ster Schan——de, muss-te mit
hor————ror, for hate————ful dis-hon——our, filled with dis-

Schreck die Schmäh-li-che fassen, die je dem Man——ne ge-horcht,
may the trai-torous woman, who once a bride-groom o-beyed,

der oh-ne Min——ne sie hielt!__
and love-less lay in his arms!__

Lass' die Ver-fluch-te, lass' sie dich
Leave the ac-curst one, far let her

SIEGL.

fliehn! Ver - - wor - - fen bin ich, der
flee! *Dis -* *- hon -* *- oured am I,* *be-*

Wür - - de baar: dir rein - stem Man - ne
reft *of grace:* *the* *pur -* *- est he - ro*

muss ich ent - rin - nen, dir herr - li - chem darf ich nim - mer ge - hö - ren.
must I a - ban - don, to thee, the most glorious, ne'er may I give me.

Schan - - de bring ich dem Bru - - der,
Shame would fall on the bro - - ther,

SIEGL.
Schmach _____ dem frei - en-den Freund!
scath _____ on the res - cu-ing friend!

SIEGM.
Was je Schande dir
Whate'er shame has been

più f

schuf das büsst nun des Frevlers Blut! Drum flie-he nicht weiter; har-re des
wrought be paid by the sinner's blood! Then flee thou no farther; wait for the

cresc. _ _ _ _ fp p fp

Feindes; hier soll er mir fal-len: wenn Nothung ihm das Herz zer-nagt, _____
foe-man; fall must he be-fore me: when Nothung's point doth pierce his heart, _____

p cresc. _ fp p cresc. _

SIEGL.
(schrickt auf und lauscht.)
(starts up and listens.)
Horch! die Hör-ner, hörst du den Ruf?_Ringsher
Hark! the hornscall, hearest thou not?_ All a-

Ra - che dann hast du er - - reicht!
vengeance then wilt thou have won!

Lebhaft.

f f f p p

26590

SIEGL.

tönt wü - thend Ge-tös'; aus Wald und Gau gellt es herauf.
round cries of re-venge, from wood and vale, swell on our ears.

Hun-ding er-wachte aus har - tem Schlaf! Sip-pen und Hun - de ruft er zu-
Hun-ding has wakened from hea - vy sleep! Kinsmen and bloodhounds, calls he to-

sammen; mu - thig ge-hetzt heult die Meu - te, wild bellt sie zum
gether; goad - ed to rage, dogs are howl-ing, loud bay - - ing to

Him - mel um der E - he ge-bro - - chenen Eid!
hea - ven, against break - ing of wed - - lock's oath!

SIEGL.

Horn!
horn!
Sei-ne Meu - te naht mit mächt'ger Wehr: kein Schwert
All his pack pur - sue in mighty force: no sword

frommt vor der Hun - de Schwall: wirf es fort, Sieg - mund!
helps thee against the hounds: let it go, Sieg - mund!

Siegmund___ wo bist du?___ Ha dort! ich
Siegmund___ where art thou?___ Ha, there! I

se - he dich! Schrecklich Gesicht! Rü - den fletschen die Zäh-ne nach
see thee now! Ter - ri-ble sight! Dogs are gnash-ing their teeth af-ter

SIEGL.

Fleisch; sie ach-ten nicht dei-nes ed—-len Blick's;   bei den Füs—-sen
flesh;   no heed they take of the he—-ro's glance;   by thy feet   they

packt dich das fe-ste Ge-biss   du fällst___ in Stü-cken zerstaucht das Schwert:___
seize thee with fast-holding fangs.___   Thou fall'st___   in splinters the sword hath sprung:___

die E-sche stürzt___   es bricht der Stamm!
the ash-tree sinks___   the stem is rent!

(Sie sinkt ohnmächtig in
Siegmund's Arme.)
*(She sinks senseless into
Siegmund's arms.)*

Bru-der!   mein Bru-der!   Siegmund___ ha!___
Brother!   my brother!   Siegmund___ ha!___

SIEGM.

Schwester! Ge - lieb - -
Sis - ter! Be - lov - -

SIEGM.

(Er lauscht ihrem Athem und überzeugt sich dass sie noch lebe.)
(He listens to her breathing and convinces himself that she still lives.)

(Er lässt sie an sich herabgleiten, so dass sie,
(He lets her slide downwards so that, as he

Langsamer.

als er sich selbst zum Sitze niederlässt, mit ihrem Haupte auf seinem Schooss zu ruhen
kommt. In dieser Stellung verbleiben Beide bis zum Schlusse des folgenden Auftrittes.)
*himself sinks into a sitting posture, her head rests on his lap. In this position they
both remain until the end of the following scene.)*

(Langes
(A long

Schweigen, während dessen Siegmund mit zärtlicher Sorge über Sieglinde sich hinneigt, und mit einem langen Kusse ihr die Stirne küsst.)
silence, during which Siegmund bends over Sieglinde with tender care, and presses a long kiss on her brow.)

Vierte Scene.   Fourth Scene.

(Brünnhilde, ihr Ross am Zaume geleitend, tritt aus der Höhle, und schreitet langsam und feierlich nach vorne.)
(*Brünnhilde, leading her horse by the bridle, comes out of the cave and advances slowly and solemnly to the front.*)

Sehr feierlich und gemessen.

(Sie hält an, und betrachtet Siegmund von fern.)
(*She pauses and observes Siegmund from a distance.*)

26590

(Sie schreitet wieder langsam vor.)
(*She again slowly advances.*)

(Sie hält in grösserer Nähe an.)
(*She stops, somewhat nearer.*)

(Sie trägt Schild und Speer in der einen Hand, lehnt sich mit der andren an
den Hals des Rosses, und betrachtet so mit ernster Miene Siegmund.)

BRÜNNH. (*She carries her shield and spear in one hand, resting the other on her
horse's neck, and thus, in grave silence, she watches Siegmund for some time.*)

Sieg-mund!
Sieg-mund!

(Siegmund richtet den Blick zu ihr auf.)
(*Siegmund raises his eyes to her.*)

Sieh auf mich!
Look on me!

Ich bin's, der bald du folg'st.
I come to call thee hence.

SIEGM.

Wer bist du, sag' die so schön und ernst mir er-scheint?
Who art thou, say, who dost stand so beauteous and stern?

BRÜNNH.

Nur Tod-ge-weihten taugt mein An-blick: wer mich er-schaut, der
Death-doomed is he who looks up-on me; who meets my glance must

schei-det vom Le-bens Licht. Auf der Walstatt al-lein er-schein' ich Ed-len
turn from the light of life. On the war-field a-lone, I come to he-roes;

wer mich ge-wahrt, zur Wal kor ich ihn mir!
those whom I greet, with me needsmust go hence!

sempre pp

(sehr lange)

u.c.

26590

(Siegmund blickt ihr lange forschend und fest in das Auge, senkt dann sinnend das Haupt, und wendet sich endlich mit Ent..

(Siegmund looks long, firmly and searchingly into her eyes, then bows his head in thought and at length turns resolutely

schluss wieder zu ihr.)

to her again.)

SIEGM.

Der dir nun folgt, wo - hin führst du den

If death be his, whith - er lead'st thou the

BRÜNNH.

Zu Wal - va - ter, der dich ge - wählt, führ' ich dich: nach Wal - hall

To Wo - tan, who cast - eth the lot, lead I thee: to Wal - hall

Hel - den?

he - ro?

folgst du mir.

wend with me.

In Wal - hall's Saal Wal -

On Wal - hall's height, Wo -

26590

SIEGM. sehr bestimmt. *firmly.*

zu ih nen folg' ich dir nicht!
to them I fol-low thee not!

dim.

BRÜNNH.

Du sah'st der Wal - kü-re seh - renden
Thou saw - est the Val - kyrie's with - ering

poco cresc.

Blick: mit ihr musst du nun zieh'n!
glance; with her must thou now fare!

molto cresc. *ff* dim. piùp

SIEGM.

dolce

Wo Sieg - linde lebt in Lust und Leid, da will Sieg - mund auch
Where Sieg - linde lives in weal or woe, there will Sieg - mund too

dolce

SIEGM.

säu - men: noch mach - te dein Blick nicht mich er-blei - chen;vom
lin - ger: thy with - er-ing glance served not to fright me, nor

BRÜNNH.

So lang du lebst, zwäng' dich wohl
While life is thine, force were in

Blei - ben zwingt er mich nie!
shall it e'er force me hence.

nichts: doch zwingt dich Tho - - ren der Tod:__
vain; but death shall van - - quish thee, fool:

ihn dir zu kün - den kam ich her.
death - doom to bring thee I am here.

SIEGM.

Wo wä - re der Held dem heut' ich
Whose hand,then,shall strike, if I must

dir ward das Loos ge - kies't.
thine is the death de - creed.

Kennst du diess Schwert? Der mir es schuf, be - schied mir
Know'st thou this sword? From him it came who holds me

ff p

cresc.

marcato

P.

sehr stark betont.
with emphasis.

Der dir es schuf, beschied dir jetzt
He who be-stowed it sends thee now

Sieg: dei - nem Dro - hen trotz' ich mit ihm!
safe: through his sword thy threats I de - fy!

accel.

P. sf P.

Tod: seine Tu - gend nimmt er dem Schwert!
death: for the spell he takes from the sword!

heftig.
vehemently.

Schweig und schre-cke die Schlummernde
Still and fright not the slum - ber - er

più f

ff

dim.

P. P.

(Er beugt sich mit hervorbrechendem Schmerze zärtlich über Sieglinde.)
(*He bends tenderly, in an out-burst of grief, over Sieglinde.*)

nicht! Weh! weh! Süs - sestes
here! Woe! woe! Sweet - est

Etwas bewegt, doch nicht zu schnell.

p dolce

SIEGM.

Weib! Du trau - - rigste al - - ler Ge-treu - en! Ge-gen dich
wife! Thou sad - - dest a - mong all thy faith - ful! 'Gainst thy peace

wü-thet in Waf-fen die Welt: und ich, dem du ein - zig ver-traut, für
rag-es the world now in arms; and I, who a-lone am thy friend, for

den du ihr ein-zig ge-trotzt mit mei - nem Schutz nicht soll ich dich schirmen, die
whom thou the world hast de-fied may I not shield, may I not de-fend thee, be-

Küh - ne ver-ra-then im Kampf? Ha Schan-de ihm der das Schwert mir schuf, beschied er mir Schimpf für
tray thee must I in the fight? O shame on him who bestowed the sword, and tricks me with trust-less

Sieg! Muss ich denn fal-len, nicht fahr' ich nach Wal - hall:
blade! If I must fall then, to Wal-hall I fare not:

P.

SIEGM.

jung____ und schön er - schim - merst du mir: doch wie kalt und hart er -
young____ and fair thou shin - est to me, yet how cold and hard now

kennt dich mein Herz! Kannst du nur höh - nen, so he - - be dich
knows thee my heart! Canst thou but mock me, then take____ thy-self

fort, du ar - - ge, füh - lo - se Maid! Doch must____ du dich
hence, thou cru - - el mer - ci - less maid! Or if____ thou dost

wei - den an mei - - nem Weh', mein Lei - - den let - ze dich denn;
hun - ger for my dis - tress, then free - - ly feast on my woe;

26590

SIEGM.

mei-ne Noth la - - be dein neid - volles Herz:
let my grief quick - en thy en - vious heart:

nur von Walhall's sprö-den Wonnen
but of Walhall's love-less raptures

Ich
I

sprich du wahr-lich mir nicht!
speak not, pry-thee, to me!

se - he die Noth, die das Herz dir zernagt, ich füh - le des Hel - den hei - li-gen Harm
see the distress that doth gnaw at thy heart, I feel all the he - ro's ho - li-est grief!

Sieg - -mund, be-fiel mir dein Weib: mein Schutz
Sieg - -mund, to me give thy wife, let her

SIEGM.

Schwert, das dem Treu-en ein Trugvol-ler schuf; dies Schwert____ das feig vor dem
sword, though by trait-or to true man de-creed,__this sword, that fails me in

(Er zückt das Schwert
auf Sieglinde.)
(He points the sword
at Sieglinde.)

Feind mich verräth:__ fromm es nicht gegen den Feind, so fromm' es denn wi-der den Freund!
face of my foe:__ serves it not then against foe, right well it shall serve against friend!

Zwei Le-ben lachen dir hier: nimm sie, Nothung, nei-discher Stahl!
Two lives now laugh to thee here: take them, Nothung, en-vious steel!

BRÜNNH. (im heftigsten Sturme des Mitgefühles.)
(in a passionate outburst of sympathy.)

Halt' ein! Wäl - sung!
For-bear! Wäl - sung!

nimm sie mit ei - nem Streich!
take them with one fell stroke!

molto acceler.

(Sie stürmt fort, und verschwindet mit dem Rosse
(*She rushes away, and disappears with her horse*

Held!   Auf der Wal-statt seh' ich dich wie-der!
blest!   *On the field once more shall I find thee!*

rechts in einer Seitenschlucht. Siegmund blickt ihr freudig und erhoben nach. — Die Bühne hat sich allmählig verfinstert; schwere
in a ravine on the right. Siegmund looks after her with joy and exultation. — The stage has gradually darkened; heavy storm-

Gewitterwolken senken sich auf den Hintergrund herab, und hüllen die Gebirgswände, die Schlucht und das erhöhete Bergjoch nach und nach
clouds sink down and cover the background, gradually veiling the cliffs, ravine and rocky pass completely from view.)

gänzlich ein.)

(Siegmund neigt sich wieder über Sieglinde, dem Athem lauschend.)
(*Siegmund again bends over Sieglinde, listening to her breathing.*)
allmälich zurückhaltend.

Fünfte Scene.

Fifth Scene.

SIEGMUND.

Zau - ber-fest be-zähmt ein Schlaf der Hol- den Schmerz und Harm.
Slum - ber charms with sooth - ing spell the fair one's pain and grief.

Mässig langsam.

SIEGM. Er legt sie sanft auf den Steinsitz, und küsst ihr zum Abschied die Stirne.)
(He lays her gently on the rocky seat and kisses her forehead as farewell.)

freu'!
joy!

dim.

p dolce

P. ✛ P. ✛

Lebhaft. (Stierhorn a.d.Th.)

rall.

p

f

P.

più p

SIEGM. (vernimmt Hunding's Hornruf, und bricht entschlossen auf.)
(hears Hunding's horn-call and starts up with resolution.)

Der dort mich ruft, rüs - te sich nun; was ihm gebührt,
Thou who dost call, arm thy-self now; what-e'er is due

cresc.

f

mf

cresc.

✛

(Er zieht das Schwert.)
(He draws his sword.)

biet' ich ihm:
take thou here:

No - thung zahlt' ihm den
No - thung pay - eth the

fp

f

cresc.

ff

P. ✛

P. ✛

(Er eilt dem Hintergrunde zu, und verschwindet, auf dem Joche angekommen, sogleich in finstrem Gewittergewölk,
(He hastens to the background and, on reaching the pass, disappears in the dark storm-cloud, from which a

Zoll!
debt!

Stierhorn (a.d.Th.)

f

ff

P. ✛

aus welchem alsbald Wetterleuchten aufblitzt.)
flash of lightning immediately breaks)

(a.d.Th.)

SIEGLINDE (beginnt sich träumend unruhiger zu bewegen.)
(begins to move restlessly in her dreams.)

Langsamer.

Kehr - te der Va - ter nun heim! Mit dem
Would now but fa - ther come home! With the

Kna - ben noch weilt er im Forst.
boy he still roams in the woods.

Mutter! Mutter! mir bangt der Muth,
Mother! Mother! I quake with fear,

SIEGL.

nicht freund und friedlich schei - nen die Frem - den!
with eyes un-friendly glow - er the stran - gers!
Schwar - ze Dämpfe schwü - les Ge-
Mist - y darkness fills all the

dünst feu - ri-ge Lo - he leckt schon nach uns
air fi - er-y tongues are flam - ing a - round
es brennt das Haus zu Hül - fe
they burn the house o, help us,

accelerando

cresc.

(Sie springt auf.)
(She springs up.)

Bru - der! Sieg - mund! Sieg - mund!
bro - ther! Sieg - mund! Sieg - mund!

Lebhaft.

stacc. piu cresc.

ff

P.

(Starker Blitz und Donner.)
(Violent thunder and lightning.)

(Sie starrt in steigender Angst um sich her; fast die ganze Bühne ist in
schwarze Gewitterwolken gehüllt. Der Hornruf Hunding's ertönt in der Nähe.)
*(She stares about her in growing terror; nearly the whole of the stage is
veiled with black thunder clouds. Hunding's horn-call sounds near.)*

Sieg - mund!
Sieg - mund!

Ha!
Ha!

Stierhorn näher

p

ff

ff

P.

26590

HUNDING'S Stimme (im Hintergrunde vom Bergjoch her.)
voice (*in the background, from the mountain pass.*)

Weh - walt! Weh - walt!
Weh - walt! *Weh - walt!*

SIEGM. Stimme (von weiter hinten her aus der Schlucht.)
voice (*from farther off in the ravine.*)

Wo birgst du dich, dass ich vorbei dir schoss?
Where hid-est thou, that I can find thee not?

Steh' mir zum Streit, sollen dich Hun - de nicht hal - ten.
Stand there and fight, else with the hounds must I hold thee.

SIEGL. (in furchtbarer Angst lauschend.)
(*listening in fearful terror.*)

Hunding! Siegmund! Könnt' ich sie se-hen!
Hunding! *Siegmund!* *Could I but see them!*

Steh', dass ich dich stel - le!
Stand, that I may face thee!

(a.d.Th. sehr nahe)

HUNDING.

Hie-her, du fre - velnder Frei-er! Fricka fäl - le dich
Fly not, thou trait-or-ous woo-er! *Fricka striketh thee*

26590

179

(Sie stürzt auf das Bergjoch zu: ein von rechts her über die Kämpfer ausbrechender Schein blendet sie aber plötzlich, so dass sie, wie erblindet zur Seite schwankt.)
(*She rushes towards the pass: but suddenly, from above the combatants on the right, a flash breaks forth so vividly that she staggers aside as if blinded.*)

(In dem Lichtglanze erscheint Brünnhilde, über Siegmund schwebend, und diesen mit dem Schilde deckend. Als Siegmund soeben zu einem tödtlichen Streiche auf Hunding ausholt, bricht von links her ein glühend röthlicher Schein durch das Gewölk aus, in welchem Wotan erscheint, über Hunding stehend, und seinen Speer Siegmund quer entgegenhaltend.)
(*In the glare of light Brünnhilde appears, floating above Siegmund, and protecting him with her shield. Just as Siegmund aims a deadly blow at Hunding, a glowing red light breaks from the left through the clouds, in which Wotan appears, standing over Hunding, holding his spear across in front of Siegmund.*)

BRÜNNH. *(Sie hebt Sieglinde schnell zu sich auf ihr der Seitenschlucht nahe stehendes Ross, und verschwindet sogleich mit ihr.)*
(She lifts Sieglinde quickly on to her horse which is standing near the side gorge, and immediately disappears

ret - te!
save thee!

with her.)

*(Alsbald zertheilt sich das Gewölk in der Mitte, so dass man deutlich Hunding ge-
wahrt, der soeben seinen Speer dem gefallenen Siegmund aus der Brust gezogen.)*
*(At this moment the clouds divide in the middle, so that Hunding, who has just
drawn his spear from the fallen Siegmund's breast, is clearly seen.)*

WOTAN *(von Gewölk umgeben, steht dahinter auf einem Felsen an seinen Speer gelehnt und schmerzlich auf Siegmund's Leiche blickend.)*
*(surrounded by clouds, stands on a rock behind leaning
on his spear and sadly gazing on Siegmund's body.)*
(zu Hunding.)
(to Hunding.)

Geh' hin, Knecht! Kni - e vor Fricka: meld' ihr, dass Wotan's Speer ge - rächt, was Spott ihr
Go hence, slave! Kneel before Fricka: tell her that Wotan's spear a - venged what wrought her

Langsam.

26590

WOTAN.

(Vor seinem verächtlichen Handwink sinkt Hunding todt
(Before the contemptuons wave of his hand, Hunding sinks

schuf.___   Geh!   Geh!
wrong.___   Go!   Go!

pp   f   fz   p

zu Boden.)   (Wotan plötzlich in furchtbarer Wuth auffahrend.)
dead to the ground.)   (Wotan suddenly breaking out in terrible rage.)

Doch Brünn - - hil - - de!
But Brünn - - hil - - de!

Schnell.

p sf p molto cresc. f

Weh'   der Ver - bre - cherin!   Furcht - - bar sei die
Woe   to the guilt - y one!   Dire   wage shall she

ff

(Er verschwindet mit Blitz u. Donner.)
(He disappears with thunder and
lightning.)

Fre - che gestraft,   er - reicht   mein Ross   ih - re Flucht!
win for her crime,   if my steed   o'er-take   her in flight!

più f

26590

Der Vorhang fällt schnell.)
The curtain falls quickly.)

Dritter Aufzug.
Erste Scene.

Third Act.
First Scene.

f marcato

Der Vorhang geht auf
The Curtain rises

(Auf dem Gipfel eines Felsberges. Rechts begränzt ein Tannenwald die Scene. Links der Eingang einer Felsenhöhle: darüber steigt der Fels zu seiner höchsten Spitze auf. Nach hinten ist die Aussicht gänzlich frei; höhere und niedere Felssteine bilden den Rand vor dem

(On the summit of a rocky mountain. On the right a pinewood encloses the stage. On the left is the entrance to a cave; above this the rock rises to its highest point. At the back the view is entirely open; rocks of various heights form a parapet to the pre-

Abhange.— Einzelne Wolkenzüge jagen, wie vom Sturm getrieben, am Felsensaume vorbei.— Gerhilde, Ortlinde, Waltraute und Schwertleite haben sich auf der Felsenspitze über der Höhle gelagert: sie sind in voller Waffenrüstung.)

cipice.— Occasionally clouds fly past the mountain peak, as if driven by storm.— Gerhilde, Ortlinde, Waltraute and Schwertleite have ensconced themselves on the rocky peak above the cave: they are in full armour.)

GERHILDE zu höchst gelagert, dem Hintergrunde zurufend, wo ein starkes Gewölk herzieht.)
(on the highest point, calling towards the background, where a thick cloud passes.)

Ho-jo-to-ho!____
Ho-jo-to-ho!____

Ho-jo-to-ho!____ Hei-a-ha!____ Hei-ha!____
Ho-jo-to-ho!____ Hei-a-ha!____ Hei-a-ha!____

26590

GERH.

Helm - wi - ge!   Hier!____ Hie - her_____ mit dem
Helm - wi - ge!   *Here!____ Guide hith - - er thy*

HELMWIGE'S (Stimme im Hintergrunde durch ein Sprachrohr.)
(voice at the back through a speaking trumpet.)

Ho-jo-to-ho!____   Ho-jo-to-ho!____   Hojo-to-ho!____
Ho-jo-to-ho!____   *Ho-jo-to-ho!____*   *Hojo-to-ho!____*

Ross!
horse!

Ho-jo - to - ho!____   Hei - - - - a -
Ho-jo - to - ho____   *Hei - - - - a -*

(In dem Gewölk bricht Blitzesglanz aus: eine Walküre zu Ross wird in ihm sichtbar; über ihrem Sattel hängt ein erschlagener Krieger.)
(A flash of lightning breaks through a passing cloud: in the light a Valkyrie on horseback becomes visible: on her saddle hangs

ha!
ha!

a slain warrior.)

(Die Erscheinung zieht, immer näher, am Felsensaume von links nach rechts vorbei.)
(The apparition, approaching the rocky cliff, passes from left to right.)

(Alle drei der Ankommenden entgegen rufend.)
(All three calling to her as she approaches.)

GERHILDE.

Hei - a - ha! _____ Hei - a - ha! _____
Hei - a - ha! _____ Hei - a - ha! _____

WALTRAUTE.

Hei - a - ha! _____ Hei - a - ha! _____
Hei - a - ha! _____ Hei - a - ha! _____

SCHWERTLEITE.

Hei - a - ha! _____ Hei - a - ha! _____
Hei - a - ha! _____ Hei - a - ha! _____

26590

(Die Wolke mit der Erscheinung ist rechts hinter dem Tann verschwunden.)
(The cloud with the apparition disappears to the right behind the wood.)
ff
P.
f
P.
ORTLINDE (in den Tann hinein rufend.)
(calling towards the wood.)
Zu Ort-linde's Stu-te stell' deinen Hengst: mit meiner Grau - en gras't gern dein Brauner!
By Ort-linde's fil - ly fas-ten thy horse: gladly my grey will graze near thy chest-nut!
WALTRAUTE.
(hinein rufend)
(calling towards the wood)
Wer
Who
p
p
HELMWIGE (aus dem Tann auftretend.)
(coming from the wood.)
Sintolt, der Hegeling!
Sintolt, the Hegeling!
hängt dir im Sattel?
hangs at thy saddle?
SCHWERTLEITE.
Führ dei-nen Braunen fort von der Grauen: Ortlinde's Mähre trägt
Far from the grey, then, fasten thy chestnut: Ortlinde's fil - ly bears
p
GERHILDE (ist etwas näher herabgestiegen.)
(coming down lower.)
Als Fein - de nur sah' ich Sin-tolt und Wit - tig!
For foes have been e - ver Sin-tolt and Wit - tig!
Wit-tig, den Ir - ming!
Wit-tig, the Ir - ming!
sf.
cresc.
P.

WALTR.

(nach rechts in den Hintergrund rufend.)
(calling towards the right hand side of the background.)

Ho-io-ho!   Sie-gru - ne hier!   Wo   säum'st du   so lang?
Ho-io-ho!   Sie-gru - ne here!   Where stay'st thou   so long?

marcato

(Sie lauscht nach rechts.)
(She listens towards the right.)

SIEGRUNE'S   Stimme (durch ein Sprachrohr) von der rechten Seite des Hintergrundes her.
voice (through a speaking trumpet) from the back on the right.

Ar - beit gab's!
Work   to   do!

marcato

Sind die
Are the

26590

192

GERH.

(ebenso)
(the same)

Sie rei - ten zu zwei.
To - geth - er they ride.

WALTR. (nach links)
(towards the left)

Grim - gerd' und Ross - weis - se!
Grim - gerd' and Ross - weis - se!

molto cresc.

ff

(In einem blitz-erglänzenden Wolkenzuge, der von links her vorbeizieht, erscheinen Rossweisse und Grimgerde, ebenfalls auf Rossen.
(In a bank of clouds, passing from the left, Rossweisse and Grimgerde appear, illumined by a flash of lightning. Both are on horse-

jede einen Erschlagenen im Sattel führend.)
back and each carries a slain warrior on her saddle.)

8va

sempre ff

HELMW.

ORTL. (Sind aus dem Tann getreten, und winken
vom Felsen-Saume den Ankommenden zu.)

Gegrüsst,
We greet

SIEGR. (Have come out of the wood and wave to the approaching
Rossweisse and Grimgerde from the edge of the precipice.)

Gegrüsst,
We greet

Gegrüsst,
We greet

ORTL.
ihr Reis - si-ge! Ross - weiss' und Grim - ger - de!
you tra - vel-lers! *Ross - weiss' and Grim - ger - de!*

SIEGR.
ihr Reis - si-ge! Ross - weiss' und Grim - ger - de!
you tra - vel-lers! *Ross - weiss' and Grim - ger - de!*

ROSSWEISSE'S & GRIMGERDE'S Stimmen (durch ein Sprachrohr)
voices (through a speaking trumpet)

Ho - jo - to - ho! Ho - jo - to - ho! Hei - a - ha!
Ho - jo - to - ho! *Ho - jo - to - ho!* *Hei - a - ha!*

HELMW. & ORTL.

Ho - jo - to - ho! Ho - jo - to - ho! Hei - a -
Ho - jo - to - ho! *Ho - jo - to - ho!* *Hei - a -*

GERH. & WALTR.

Ho - jo - to - ho! Ho - jo - to - ho! Hei - a -
Ho - jo - to - ho! *Ho - jo - to - ho!* *Hei - a -*

SIEGR. & SCHWERTL.

(Die Erscheinung verschwindet hinter dem Tann.)
(The apparition disappears behind the wood.)
Ho - jo - to - ho! Ho - jo - to - ho! Hei - a -
Ho - jo - to - ho! *Ho - jo - to - ho!* *Hei - a -*

26590

Hei - - - - - - - - - a - ha!
Hei - - - - - - - - - a - ha!

Hei - a - ha! Hei - a - ha!
Hei - a - ha! Hei - a - ha!

Hei - a - ha! Hei - a - ha!
Hei - a - ha! Hei - a - ha!

GERH. (in den Tann rufend)
(calling into the wood)

In Wald mit den Rossen zu Rast und Weid!
Leave there in the for-est your steeds to graze!

ORTLINDE (ebenfalls in den Tann rufend.)
(likewise calling into the wood.)

Füh - ret die Mäh - - ren
Lead off the mares_____ a-

fern von ein-an - der,
far from each o - ther,

bis uns'rer Hel - den Hass sich ge-legt!
till all our he - roes' an - ger is calmed!

HELMW.

Der Hel - - den
The grey_____ has

GERH. (lachend)
(laughing)

Ha ha ha ha ha ha ha ha ha ha!
Ha ha ha ha ha ha ha ha ha ha!

SIEGR. (lachend)
(laughing)

Ha ha ha ha ha ha ha ha ha ha!
Ha ha ha ha ha ha ha ha ha ha!

WALTR (lachend)
(laughing)

Ha ha ha ha ha ha ha ha ha ha!
Ha ha ha ha ha ha ha ha ha ha!

SCHWERTL (lachend)
(laughing)

Ha ha ha ha ha ha ha ha ha ha!
Ha ha ha ha ha ha ha ha ha ha!

26590

HELMW.

ei - ne noch fehlt.
want-ing is one.

GERH.

Bei dem brau - nen Wäl - sung weilt wohl noch
By the brown - eyedWäl - sung lin - - gers yet

dolce

WALTR.

Auf sie noch har - ren müs-sen wir hier: Wal - va - ter gäb' uns
Till she comes hith - er still must we stay: greet - ing full grim would

Brünn - hild'.
Brünn - hild'.

P. P. P.

SIEGRUNE (auf der Warte)
(on the lookout)

Ho - jo - to - ho!
Ho - jo - to - ho!

grimmi - genGruss, säh' oh - ne sie er uns nah'n.
War-fa - ther give, if without her we should come.

cresc.

f

P. P.

(in den Hintergrund rufend)
(calling towards the back)

(zu den Andern)
(to the others)

Ho - jo - to - ho! Hie - her! Hie - her! In
Ho - jo - to - ho! Hal - lo! Hal - lo! In

f

ff

26590

Schneller.

(Sie spähen mit wachsender Verwunderung.)
(They watch with growing astonishment.)

sempre staccato

WALTR.

Nach dem
To the

Tann lenkt' sie das tau- -melnde Ross.
wood guides she her stag- -gering horse.

GRIMG.

Wie schnaubt Gra- ne
From fierce rid- ing

ROSSW.

So jach sah' ich nie Wal- küren
So fast none e'er saw Val- kyrie

vom schnel- len Ritt!
how Gra- ne pants!

26590

26590

ORTL.

Schwe- -ster! Schwe- ster! was ist ge- -scheh'n?
Sis- -ter! sis- ter! What has be- -fall'n?

WALTR.

Schwe- -ster! Schwe- ster! was ist ge- -scheh'n?
Sis- -ter! sis- ter! What has be- -fall'n?

GRIMG.

Schwe- -ster! was ist ge- -scheh'n?
Sis- -ter! What has be- -fall'n?

SCHWERTL.

Schwe- -ster! Schwe- ster! was ist ge- -scheh'n?
Sis- -ter! sis- ter! What has be- -fall'n?

P.

(Alle Walküren kehren auf die Bühne zurück; mit ihnen kommt Brünnhilde, Sieglinde unterstützend und hereingeleitend.)
(All the Valkyries come back to the stage: with them comes Brünnhilde, supporting and leading Sieglinde.)

Schnell und heftig.

f
15
più f
P.

BRÜNNH.

(athemlos)
(breathless.)

Schützt mich, und helft _____ in höch-ster
Shield me and help _____ in dir-est

ff
P.

208

26590

216

26590

BRÜNNH.

Schwert-lei-te! Sieg-ru-ne! Seht mei-ne Angst! O seid mir treu, wie traut ich euch
Schwert-lei-te! Sieg-ru-ne! See my dis-may! True be to me, as I have been

*(Sieglinde, die bisher finster und kalt vor sich hin_
gestarrt, fährt, als Brünnhilde sie lebhaft_wie zum
Schutze umfasst, mit einer abwehrenden Gebärde auf.)*
*(Sieglinde, who has hitherto stared gloomily
and coldly before her, starts up with a repel_
lant gesture as Brünnhilde embraces her warmly,
as if to protect her.)*

ritard.

war: ret - - - tet dies trau-ri-ge Weib!
true: save now this sor-rowing maid!

Schnell.

cresc. *f* *ff*

Ped. *✱* *Ped.* *✱*

SIEGL.

Nicht seh - re dich Sor - ge um mich: ein - zig taugt mir der
Let sor-row not vex thee for me: on - ly death is my

Langsamer.

dim. *più p* *pp* *pp*

Tod.— Wer hiess dich Maid, dem Harst mich ent - führen?
due.— Who bade thee bear me, maid, from the battle?
Im Sturm dort hätt' ich den Streich em-
Perchance my death-stroke I there had

pp

BRÜNNH.

219

220

BRÜNNH.

Hold S. (away)

lein! ich— blei-be zu-rück, bie-te mich Wo-tan's Ra-che: an mir
lone! I— stay in thy stead, draw on me Wo-tan's an-ger,   by me

zög'r ich den Zür-nenden hier, während du— seinem Ra-sen entrinnst.
hold-ing the wrath-ful one here, whilst thou— from his ven-geance escap'st.

BRÜNNH. *Take Sieglinde*

Wer von euch Schwestern schweifte nach Osten?
Which of you, sis-ters, jour-neyed to eastward?

SIEGL.

Wo-hin soll ich mich wenden?
Say, whither shall I turn me?

SIEGR.

Nach O-sten
A for-est

weit-hin dehnt sich ein Wald: der Nib-lungen Hort entführ-te
wild spreads far to the east: the Ni-belung's hoard by Faf-ner

26590

SIEGR.

Faf - ner dorthin.
thith - er was borne.

SCHWERTL.

Wurmes-Gestalt schuf sich der Wil-de: in ei-ner Höh - le hü-tet er Al-berich's
There as a dread dragon he dwelleth, and in a cave there guardeth he Alberich's

pp

P.

BRÜNNH.

Und doch vor Wo - tan's Wuth schützt sie si-cher der
And yet from Wo-tan's wrath shel - ter safe were the

Reif!
ring!

GRIMG.

Nicht geheu'r ist's dort für ein hülf-los Weib.
For a help - less wo-man no home were there.

pp

sempre pp

p   *p*   *p*

P.

WALTR.

(auf der Warte)
(on the lookout)

Furcht - bar fährt dort Wo - tan zum
Ra - ging rides the god to the

BRÜNNH.

Wald: ihn scheut' der Mächt'-ge, und mei-det den Ort.
wood: our fa - ther fear-eth and shunneth the place.

cresc.

P.   26590   P.

hervor, und überreicht sie Sieglinde.)
plate and gives them to Sieglinde.)

BRÜNNH.

Ver - wahr' ihm die star - ken Schwer - tes
For him ward thou well___ the might - y

Stücken; sei - nes Va - - ters Wal - statt ent - führt ich sie glücklich: der neu - ge-
splinters; from his fa - - ther's death - field by good hap I saved them: who once shall

fügt___ das Schwert einst schwingt, den Na - - men nehm' er von
swing the sword new wrought, his name___ from me let him

mir___ Sieg - - fried___ er - freu'___ sich des
take___ Sieg - - fried___ in tri - - - umph shall

Brünnhilde, nachdem sie eine Weile Sieglinde nachgesehen, wendet sich in den Hintergrund,
Brünnhilde, after watching Sieglinde for a while, turns towards the back-ground,

blickt in den Tann und kommt angstvoll wieder vor.)
looks into the wood and comes forward again in fear.)

(Die Walküren flüchten ängstlich nach der Felsenspitze hinauf; Brünnhilde lässt sich von ihnen nachziehen.)
(*The Valkyries retreat up the rocky point in fear; Brünnhilde lets herself be drawn with them.*)

(Sie verbergen Brünnhilde unter sich, und blicken ängstlich nach dem Tann, der jetzt von grellem Feuerschein erhellt wird, während der Hintergrund ganz finster geworden ist.)

(They hide Brünnhilde among them and look anxiously towards the wood, which is now lit up by brilliant fire-light, whilst the background has become quite dark.)

26590

Zweite Scene.

Second Scene.

(Wotan tritt in höchster zorniger Aufgeregtheit aus dem Tann auf, und schreitet vor der Gruppe der Walküren auf der Höhe, nach Brünnhilde spähend, heftig einher.)
(Wotan strides in terrible wrathful excitement from the wood and approaches the group of Valkyries on the height, looking angrily around for Brünnhilde.)

HELMW. & ORTL.

GERH. & WALTR.

SIEGR. & ROSSW.

GRIMG. & SCHWERTL.

Sehr heftig.

WOTAN.

Wo   ist   Brünn - hild',   wo   die Ver -
Where   is   Brünn - hild',   where   the re -

241

26590

WOTAN.

Weich - her - zi - ges Wei - ber - ge-zücht! So mat-ten Muth ge-wannt ihr von mir? Er-
Weak - hearted and wo-man-ish brood! Such sor-ry val-our won ye from me? I

allmälich etwas zurückhaltend.
gradually becoming slower.

zog ich euch kühn, zum Kampfe zu zieh'n, schuf ich die Her-zen euch hart und scharf, dass ihr
fos-tered you bold to fare to the field, hard and re-lent-less your hearts I wrought, and ye

Wil - den nun weint und greint, wenn mein Grimm ei - ne Treu-lo - se straft?
wild ones now weep and whine, when my wrath on a traitor doth fall?

Etwas breiter, doch nicht gedehnt.

So wisst denn, Win-seln-de, was die ver-brach, um die euch Za-gen die Zähre ent-
Then know, ye trembling ones, what was her crime for whom your tears now in pi - ty are

WOTAN.

brennt: Kei - ne wie sie   kann - te mein in - ner - stes Sin - nen;
shed: *No one but she*   *knew what lay hid in my bo - som;*

kei - ne wie sie   wuss - te den Quell mei - nes Wil - lens!
no one but she   *saw to the spring of my spi - rit!*

Sie selbst___ war mei - nes Wun - sches schaf - fen - der
In her___ deeds my de - sires were born to the

Schooss:___   und so nun brach sie den se - li - gen Bund, dass treu - los
day:___   *our ho - ly bond she hath now so dis - dained that, faith - less,*

26590

WOTAN.

sie meinem Wil-len ge-trotzt, mein herr-schend Ge-bot, of-fen ver-höhnt, gegen mich die
she my own will hath de-fied, my sa-cred command o-pen-ly scorned, against me she

Waf-fe gewandt, die mein Wunsch al-lein ihr schuf!— Hörst du's,
lift-ed the spear that by Wo-tan's will she bore!— Hear'st thou,

Brünn-hil-de? Du, der ich Brünne, Helm und Wehr, Won-ne und Huld, Na-men und
Brünn-hil-de? Thou on whom bir-ny, helm and spear, name and re-nown, life and de-

Le- - ben ver-lieh? Hörst du mich Kla-ge er-he-ben, und birgst dich bang dem
light I be-stowed? Hear'st thou my voice up-rais-ed, and shrink-ing hid'st thee

WOTAN.

Stra-fe schuf'st du dir selbst. Durch meinen Wil-len war'st du al-lein: gegen mich doch hast du ge-
self thy sen-tence hast shaped. My will a-lone a-woke thee to life: yet a-gainst my will hast thou

wollt; mei-ne Be-feh-le nur führtest du aus: gegen mich doch hast du be-
worked; thine 'twas a-lone to ful-fil my commands: yet a-gainst me hast thou com-

foh- -len; Wunsch - maid war'st du mir:
mand- -ed; wish - maid thou wert to me:

ge-gen mich doch hast du ge-wünscht; Schild - maid war'st du mir:
against me thy wish has been turned; shield - maid thou wert to me:

26590

WOTAN.

stos-sen aus der E - wi-gen Stamm: ge- - bro-chen ist un - ser
art thou from the clan of the gods: for brok-en now is our

Bund, aus mei-nem An - - gesicht bist du ver-
bond, henceforth from sight of my face art thou

HELMW. & GERH.

(Die Walküren verlassen, in aufgeregter Bewegung, ihre Stellung, indem sie sich etwas tiefer herabziehen.)
(The Valkyries, in great excitement, come a little further down the rocks.)

We - - he! Weh! Schwe - ster, ach
Hor- - ror! Woe! Sis - ter oh,

ORTL. & WALTR.

We - - he! Weh! Schwe - ster, ach
Hor- - ror! Woe! Sis - ter oh,

SIEGR. & ROSSW.

We - - he! Weh! Schwe - ster, ach
Hor- - ror! Woe! Sis - ter oh,

GRIMG. & SCHWERT.

We - - he! Weh! Schwe - ster, ach
Hor- - ror! Woe! Sis - ter oh,

bannt.
banned.

26590

252

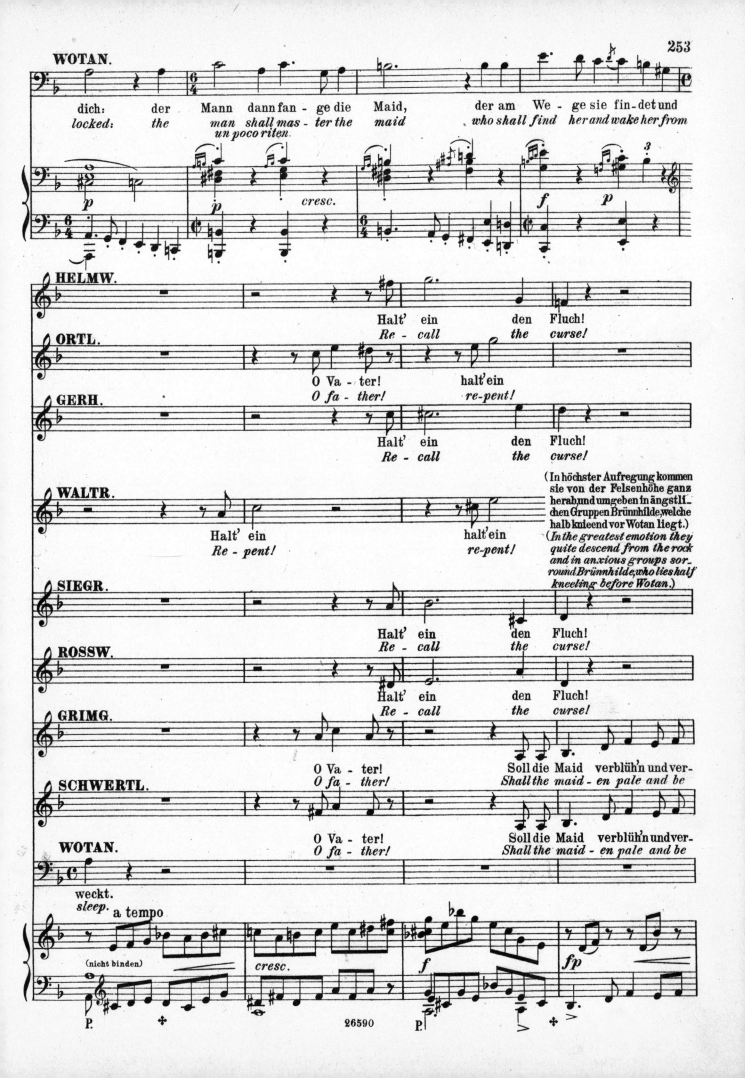

256

26590

WOTAN.

treu - lo - se Schwester ge - schieden;　　mit euch zu Ross　　durch die
trai-tor-ous sis - ter be　banished;　　*as　once　she rode*　　*through the*

Lüf - te nicht rei - tet sie län - ger;　　die magd - - li - che Blu - me ver -
clouds with you rides she no　lon-ger;　　*her maid - - en-hood's flow-er will*

blüht der Maid;　　ein Gat - te ge - winnt ih - re weib - li - che Gunst:
fade　a - way;　　*a　hus - band will gain all her　wo - man-ly　grace:*

dem her - ri - schen Man - ne　　ge - horcht sie fort - an,　　am
the will　of her　mas - ter　　*she now shall o - bey,*　　*by the*

WOTAN.

an! word!

Fort jetzt von hier,
Hence now a - way;

meidet den Fel - sen!
hither re - turn not!

Hur - tig jagt mir von hin - nen, sonst er - harrt Jammer euch hier!
Swift - ly ride from the mountain, lest ill fate light on you here!

(Die Walküren fahren unter wildem
(*The Valkyries separate with a wild*

Lebhaft.

Schrei auseinander und stürzen in hastiger Flucht in den Tann.)
cry and rush in hasty flight to the wood.)

HELMW. & ORTL.

Weh'!
Woe!

Weh'!
Woe!

GERH. & WALTR.

Weh'!
Woe!

Weh'!
Woe!

SIEGR. & GRIMG.

Weh'!
Woe!

Weh'!
Woe!

ROSSW. & SCHWERTL.

Weh'!
Woe!

Weh'!
Woe!

(Schwarzes Gewölk lagert sich dicht am Felsenrande: man hört wildes Geräusch im Tann.)
(Black clouds settle thickly on the cliffs: a rushing sound is heard in the wood.)

(Ein greller Blitzesglanz bricht in dem Gewölk aus; in ihm erblickt man die Walküren mit verhängtem Zügel, in eine Shaar
(A vivid flash of lightning breaks from the clouds; in it the Valkyries, in a closely packed group, are seen with their bridles

zusammengedrängt, wild davon jagen.)
loose wildly riding away.)

(Bald legt sich der Sturm; die Gewitterwolken verziehen sich allmählich. In der folgenden Scene bricht, bei endlich ruhigem Wet-
(The storm soon subsides; the thunderclouds gradually disappear. During the following scene twilight falls with returning

ter, Abenddämmerung ein, der am Schlusse Nacht folgt.)
fine weather, followed at the close by the night.)

26590

Allmälich etwas langsamer.

Dritte Scene.   Third Scene.

(Wotan und Brünnhilde, die noch zu seinen Füssen hingestreckt liegt, sind allein zurückgeblieben. Langes feierliches Schweigen: unveränderte Stellung.)
(Wotan and Brünnhilde, who lies at his feet, remain alone. A long solemn silence: positions unchanged.)

Etwas langsam.

(Sie beginnt das Haupt langsam ein wenig zu erheben.)
(She begins slowly to raise her head a little.)

BRÜNNH. schüchtern beginnend und steigernd.
beginning timidly and becoming firmer.

War es so schmählich, was ich verbrach, dass mein Ver-bre-chen so schmählich du be-strafst?
Was my of-fence so lad-en with shame, that the of-fend-er so shame-ful-ly is scourged?

War es so nied-rig, was ich dir that, dass du so tief mir Er-nied-rigung schaff'st?
Was there such deep dis-grace in my deed, that I so deep-ly must sink in dis-grace?

BRÜNNH.

War es so ehr - los, was ich be-ging, dass mein Ver-
Was then my crime so dark with dis-hon - our, that it

(Sie erhebt sich allmälich bis zur knieenden Stellung.)
(She raises herself gradually to a kneeling position.)

geh'n nun die Eh - re mir raubt?
robs me of hon - our for aye?

O
O

sag': Va - ter! Sieh' mir in's Au-ge: schweige den Zorn,
say: fa - ther! Look in my eyes: si - lence thy wrath,

zäh - me die Wuth, und deu-te mir hell die dunk - le Schuld, die mit star - rem Trot - ze dich
soft-en thy rage, and shew to me clear the hid - den guilt, that in cru - el an - ger doth

BRÜNNH. leise beginnend.
beginning softly.

Weil für dich im Au - ge das Ei - - ne ich hielt, dem, im Zwange des
As for thee I held but the one in my eyes, when en-trammeled wert

And - ren schmerz - lich ent - zweit, rath - - los den Rü - cken du wand - test!
thou by two - fold de - sire, blind - - ly thy back on him turn - ing!

Die im Kam - pfe Wo - - tan den Rü - cken be - wacht, die sah nun Das nur, was
She who in the field wards thy back from the foe — she saw now on - - ly what

du nicht sah'st: Sieg - - -
thou saw'st not: Sieg - - -

BRÜNNH.

mund musst ich seh'n.
mund I be-held.

Tod kün — dend trat ich vor ihn,
Death-doom I brought to him there;

Belebend.

gewahr - te sein Au — ge, hör — te sein Wort;___ ich ver-
I looked in his eyes,___ heard his la - ment; I dis-

nahm des Hel — den hei — li - ge Noth; tö — nend er-
cerned the he -ro's bit - ter dis-tress; loud - ly re-

klang mir des Ta - pfersten Kla — ge: frei — es - ter Lie — be
sound - ed the plaint of the bold one: un - bounded love's most

BRÜNNH.

furcht - ba - res Leid_____ trau - rig - sten Mu - thes mäch - tig - ster
hope - less des-pair, _____ sad - dest__ heart's most daunt - less dis-

Trotz! Meinem Ohr er - scholl, mein Aug' er-
dain! My ears have heard, my eyes have

schau - te, was tief_____ im Bu - sen das Herz zu
seen what, deep in my bo - som, with awe and

heil' - gem Be - - ben mir traf.
trem - - bling filled all my heart. **Tempo I°**

Scheu und
Dazed and

BRÜNNH.

stau- nend stand ich in Scham.
shrinking stood I in shame.

Ihm nur zu die- - nen
How I might serve him

pp

belebend.
with animation.

konnt' ich noch den- ken: Sieg o- der Tod mit Sieg- mund zu
must I be- think me: tri- -umph or death to share with

fp *cresc.* *fp*

thei- - len: dies nur er- kannt' ich zu kie- - sen als
Sieg - mund: that seem-ed on- -ly the lot I could

cresc. *poco f* *più f*

Loos! Der die- se
choose! He who this

lento

ff *rallent.* *dim.* *più p*

WOTAN.

zwang! So leicht wähntest du Won-ne des Her-zens er - wor - ben, wo
nied! So light deem-edst thou winning of hearts deepest rap - ture, when

brennend Weh' in das Herz mir brach, wo gräss-li-che Noth den Grimm mir schuf, ei-ner Welt zu Lie-be der
burning woe in my heart out broke, when an-guish a-woke the grim intent, for the world I loved so, the

accel.

Lie - be Quell im ge-quäl - ten Her-zen zu hem - men? Wo ge-gen mich
spring of love in my tor - tured heart to im-pris - on? When 'gainst my own

riten. a tempo. heftig.

sel - ber ich seh rend mich wand - te, aus Ohn-macht Schmer - zen schäumend ich auf - schoss,
self in my torment I turned me, from weakness' pangs I rose up in fren - zy,

WOTAN.

trank'st du lachend der Lie - be Trank, als mir gött-li-cher Noth na-gende
drank-est laughing the draught of love, with mine gall of the god's bit-terest

Gal - le ge-mischt?
bond-age was mixed.

trocken und kurz.
drily and shortly.

Dei-nen
Now thy

Etwas bewegter.

leich-ten Sinn lass'dich denn lei-ten: von mir sagtest du dich los.
light-some heart henceforth shall lead thee: from me hast thou turned a-way.

Dich muss ich
Aye must I

mei - den; gemeinsam mit dir nicht darf ich Rath mehr rau - nen; ge-trennt, nicht dür-fen
shun thee; to-gether no more may we e'er whis - per coun-sel; hence-forth our paths are

26590

WOTAN.

traut wir mehr schaf-fen, so weit Le - ben und Luft, darf der Gott dir nicht mehr be-
part - ed for e - ver, for while life shall en - dure, may the god ne'er give thee his

geg-nen!
greeting!

Lebhaft. rallent. Langsamer.

BRÜNNH. einfach.
simply.

Wohl taug-te dir nicht die thör'-ge Maid, die stau - nend im
Un - fit was for thee this fool - ish maid, who, stunned by thy

Ra - the nicht dich verstand, wie mein eig'-ner Rath nur das Ei - ne mir rieth: zu lie - ben was
coun-sel, nought un-der-stood, when but one command her own counsel made clear: to love all that

26590

BRÜNNH.

du ge - liebt.
thou hadst loved.

Muss ich denn schei-den und scheu dich mei-den, musst du
Must I then leave thee and, fear-ing, shun thee, must thou

spalten was einst sich umspannt, die eig-ne
loosen our fast-woven bond, and half thy

Hälfte fern von dir halten dass sonst sie ganz dir ge-
be-ing far from thee banish, who once belonged to thee

hör-te du Gott, ver-giss das nicht! Dein e - wig Theil nicht wirst du ent-
on-ly thou god, for-get not that! Thy o - ther self thou wilt not dis

eh - ren, Schan - de nicht wol - len, die dich be-schimpft:
hon - our, deal not dis-grace that will shame thee too!

BRÜNNH.

dich selbst lies-sest du sin-ken, säh'st du dem Spott mich zum Spiel!
thy own__ fame would be darkened, were I the play - thing of scorn!

Etwas breiter.

Schnell.

WOTAN.

p tranquillo

Du folg - test se - lig der Lie - be Macht: fol - ge nun dem den du
The might of love thou hast followed fain: fol - low now him who shall
ten.

ruhig

BRÜNNH.

Soll ich aus Walhall scheiden, nicht mehr mit dir schaffen und walten,
Must I then go from Walhall, no more to have part in thy working,

lie - ben musst.
force thy love.

Allmälich belebter.

dem her-rischen Man - ne ge-hor-chen fort-an: dem fei - gen Prah-ler gieb mich nicht
a man as my mas - ter henceforth must I serve: to boast-ful cra - ven make me not

WOTAN.

Nie su-che bei mir Schutz für die Frau, noch für ih-res Schos-ses Frucht.
Ne'er seek at my hand shel-ter for her, or for fruit her womb shall bear.

f dim. *p* più *p* *pp*

BRÜNNH. heimlich. *p*
secretly.

Sie wah - ret das Schwert, das du Sieg-mund schu - fest.
She guard - eth the sword, that thou gav - est Sieg - mund. (vehemently)

(heftig)

Und das ich ihm in
The sword that I in

dolce

molto cresc.

WOTAN.

Stü - cken schlug! (Lange Nicht streb', o
splin-ters struck! Pause) *Seek not,* o

f *ff* *p* < *p* < *p* *p*

Maid, den Muth mir zu stören; er - war - te dein Loos,
maid, to van - quish my spirit, a - wait now thy fate,

26590

284

26590

26590

BRÜNNH.

gieb Grau - - sa - mer, nicht der gräss - lichsten Schmach sie
cast not, _____ in thy wrath, on her _____ this most hate _ ful

(mit wilder Begeisterung.)
(with wild ecstasy.)

preis! Auf dein Ge - bot _____
shame! By thy com - mand _____

ent - bren - ne ein Feu - - - er; den Fel - - sen um
en - kin - dle a fire; _____ with flam - - ing

glü - - he lo - - dernde Gluth; es leck' ihre
guard - - ians gir - - dle the fell; to lick with

BRÜNNH

Zung', es fres - se ihr Zahn den Za - -
tongue, to bite with tooth the cra - - -

- - gen, der frech sich wag - - te dem
- - ven, who rash - - ly dar - - eth to

freis - li-chen Fel - - sen zu nah'n!
draw near the threat - - en - ing rock!

(Wotan, überwältigt und tief ergriffen, wendet sich
(Wotan, overcome and deeply moved, turns eager-

lebhaft gegen Brünnhilde, erhebt sie von den Knieen, und blickt ihr gerührt in das Auge.)
ly towards Brünnhilde, raises her from her knees and gazes with emotion into her eyes.)

26590

Meth beim Mahl mir rei- -chen, muss ich ver-
bear me mead at ban- -quet, must I a-

lie- -ren dich, die ich lie- -be, du la- -chen-de
ban- -don thee, whom I loved___ so, thou laugh- -ing de-

Lust _____ mei-nes Au- -ges: ein
light _____ of my eyes _____, such a

bräut- -liches Feu- -er soll dir nun bren-nen, wie nie ei-ner Braut es ge-
brid- -al fire for thee shall be kind-led as ne'er yet has burned for a

WOTAN

brannt! *bride!*   Flam - men-de Gluth *Threat - en-ing flames*

um - glü - he den Fels; *shall flare round the fell:*   mit zeh - rendenSchrecken *let with - er-ing ter - rors*

scheuch' es den Za - gen; *daunt the cra - ven!*   der Fei - ge flie - he Brünn-hil-de's *let cow - ards fly from Brünn-hil-de's*

Fels! *rock!*

Etwas langsamer

Denn Ei - ner nur frei - e die Braut, *For one a - lone winneth the bride;*

26590

WOTAN.

der frei - - er als ich_____ der
one fre - - er than I,_____ the

poco riten.

dim.

piùp

(Brünnhilde sinkt, gerührt und begeistert, an Wotans Brust: er hält sie lange umfangen.)
(Brünnhilde, deeply moved, sinks in ecstasy on Wotan's breast: he holds her in a long embrace.)

Gott!
god!

p molto cresc

p molto cresc.

cresc.

(Sie schlägt das Haupt wieder zurück, und blickt, immer noch ihn umfassend
(She throws her head back again and, still embracing Wotan, gazes with

a tempo

rallent.

piuf

feierlich ergriffen Wotan in das Auge.)
deep enthusiasm in his eyes.)

WOTAN.

Der Au - gen leuch - tendes Paar, das oft ich lä - chelnd ge -
Thy bright - ly glit - tering eyes, that, smil - ing, oft I ca -

kos't, wenn Kam - pfeslustein Kuss dir lohn - te, wenn kin - disch lallend der
ressed, when val - our won a kiss as guer - don, when child - ish lispings of

26590

WOTAN.

Hel - denLob von hol - den Lippen dir floss: dieser Au - gen strahlendes Paar das
he - roes' praise from sweetest lips has flowed forth: those gleaming ra - di-ant eyes that

oft im Sturm mir ge - glänzt wenn Hoff - nungsseh - nen das Herz mir
oft in storms on me shone, when hope - less yearning my heart had

seng - te, nach Wel - ten - won - ne mein Wunsch ver - langte, aus wild we - bendem
wast - ed, when world's de - lights all my wish - es wakened, thro' wild wil - dering

Ban - gen: zum letz - ten Mal letz' es mich heut' mit des
sad - ness: once more to - day, lured by their light, my

26590

WOTAN.

Le - be - woh - les letz - tem Kuss!
lips shall give them love's fare - well!

Dem glück - licher'n Man - ne glän - ze sein
On mor - tal more blessed once may they

Stern: dem un - se - li - gen Ew' - gen muss es schei - dend sich
beam: on me, hap - less im - mor - tal, must they close now for

(Er fasst ihr Haupt in beide Hände.)
(He clasps her head in his hands.)

schlies - sen.
e - - ver.

Denn so kehrt der Gott sich dir
For so turns the god now from

(Er küsst sie lange auf die Augen.)
(He kisses her long on the eyes.)

ab, so küsst er die Gott - heit von dir!
thee, so kis - ses thy god - hood a - way!

26590

(Sie sinkt mit geschlossenen Augen, sanft ermattend, in seine Arme zurück. Er geleitet sie zart auf einen niedrigen Mooshügel
(*She sinks back with closed eyes, unconscions, in his arms. He gently bears her to a low mossy mound, which is overshadowed*

(Er betrachtet sie und schliesst
(*He looks upon her and closes*

zu liegen, über den sich eine breitästige Tanne ausstreckt.)
by a wide-spreading fir tree, and lays her upon it.)

ihr den Helm: sein Auge weilt dann auf der Gestalt der Schlafenden, die er nun mit dem grossen Stahlschilde der Walküren ganz
her helmet: his eyes then rest on the form of the sleeper, which he now completely covers with the great steel shield of the

zudeckt. __ Langsam kehrt er sich ab, mit einem schmerzlichen Blicke wendet er sich noch einmal um.)
Valkyrie. __ He turns slowly away, then again turns round with a sorrowful look.)

26590

WOTAN.

bann' ich dich heut'! ... Her - auf, ... wa - bern - de
stir I thee now! ... *Ap - pear!* ... *come, wav - ing*

Lo - he, ... um - lod' - re mir ... feu - rig den
fire___ ... *and wind thee in* ... *flames round the*

(Er stösst mit dem Folgenden dreimal mit dem Speer auf den Stein.)
(*During the following he strikes the rock thrice with his spear.*)
(Erster) (First
Stoss.) (stroke.)

Fels! ... Lo - ge!
fell! ... *Lo - ge!*

(Zweiter.)
(*Second.*)
(Dritter.)
(*Third.*)
(Dem Stein entfährt ein Feuerstrahl,
(*A flash of flame issues from*

Lo - ge! hie - her!
Lo - ge! ap - pear!

26590

der zur allmälich immer helleren Flammenglut anschwillt.)
the rock, which swells to an ever-brightening fiery glow.)

(Hier bricht die lichte Flackerlohe aus.)
(Here flickering flames break forth.)

Lichte Brunst umgiebt Wotan mit wildem Flackern. Er weis't mit dem Speere gebie-
Bright shooting flames surround Wotan. With his spear he directs the sea of fire

terisch dem Feuermeere den Umkreis des Felsenrandes zur Strömung an; alsbald zieht es sich nach dem Hintergrunde, wo es nun
to encircle the rocks; it presently spreads toward the background where it encloses the mountain in flames.)

fortwährend den Bergsaum umlodert.)

WOTAN.

Wer mei - - nes Spee - - - res
He who my spear - - -point's

Spit - - ze fürch - - - tet durch
sharp - - ness fear - - - eth shall

schrei - - te das Feu - - - er nie!
cross - not the flam - - -ing fire!

26590

(Er streckt den Speer wie zum Banne aus.)
(He stretches out the spear as a spell.)

(Er blickt schmerzlich auf Brünnhilde zurück)
(He gazes sorrowfully back on Brünnhilde.)

(Er wendet sich langsam zum Gehen.)
(Slowly he turns to depart.)

(Er wendet sich nochmals mit dem Haupt und blickt zurück.)
(He turns his head again and locks back.)

(Er verschwindet durch das Feuer.)
He disappears through the fire.

(Vorhang fällt.)
Curtain falls.

Stich u. Druck von B. Schott's Söhne in Mainz